求医不如求己

～∽ 改变中国人健康生态之第一方案 ∽～

中里巴人·著

中国中医药出版社

图书在版编目（CIP）数据

求医不如求己／中里巴人 著. —北京：中国中医药出版社，2007.1（2007.9重印）

ISBN 978-7-80089-208-0

Ⅰ.求... Ⅱ.中... Ⅲ.保健－基本知识 Ⅳ.R161

中国版本图书馆 CIP 数据核字（2007） 第 010081 号

中国中医药出版社出版

北京市朝阳区北三环东路 28 号易亨大厦 16 层

邮政编码：100013

传真：64405750

三河市南阳印刷有限公司 印刷

各地新华书店经销

*

开本 787 毫米 × 1092 毫米 1/16 印张 19.5 字数 228 千字

2007 年 4 月第 2 版 2008 年 2 月第 16 次印刷

书号 ISBN 978-7-80089-208-0

*

定价 29.00 元

网址 www.cptcm.com

目 录

第一章 对待身体要像对待自己的孩子一样

> 身体是自己的，犹如孩子是自己的一样，疾病就是孩子的恶作剧，是孩子野性的一种宣泄，它是一种巨大的能量，可以转化为成长的动力。但我们往往敌视和恐惧这种能量，不惜耗费更多的能量来清除它，这无异是一种疯狂的自相残杀。

第二章 养生先从经络开始

经络是联接五脏六腑和四肢百骸的网线和桥梁，也是我们通过体表来医治内脏的长臂触手。但是穴位众多，如何选取？穴有五行，如何搭配？穴有补泻，如何操作？这些皆是纷杂不清的事情。古人已众说纷纭，今人又各抒己见。

第三章　自己才是药师佛

> 足底反射疗法非常好学，它把人的脚当作一面镜子，人体的五脏六腑便都在这面镜子里了。当身体里脏腑器官发生问题时，这面镜子就以痛感或其他的方式显示出来，然后按摩这些敏感部位，疾病就解除了，就这么简单。

第四章 慢性病可以这样去治

有人觉得中医疗效慢是中医在治本，因此也就无怨无悔地去吃上一年甚至几年的汤药；尽管无效，也仍觉得是顺理成章，治本嘛，哪有那么快的！其实，很多时候如果能真正找到病本，中医治疗起来并不缓慢，而是非常迅速、立竿见影。

第五章 我们每个人身上本来就百药齐全

人体气血总量在不同情况下是相对恒定的。按照生存的需要，气血首先要确保脏腑器官的需求，然后才是四肢百骸；就像一棵大树，要先长树根、树干，再长枝叶。脏腑又是确保气血生成与贮藏的源头，只有脏腑健康、功能相互协调，才会有足够的气血储存以供人体日常使用。

第六章 思考疾病

> 我给人看病时很少用药，因为身体里什么药都有，而且是最方便、最快捷、毫无副作用的良药——那就是人体的经络和穴位。有些朋友可能觉得我对经络穴位的作用有些夸大其辞。其实，从经络穴位的实际功效来看，我对它们的夸赞似乎还过于吝啬。

我与《人体使用手册》作者吴清忠先生的不解之缘

在中国让我最佩服的医家一共只有三个人：您是第一个；再有是广州的一位特异功能者，他行事比较低调，名字就暂且不说；还有一个是我书中所说的陈玉琴。

你们三个人的长处各有不同，您是养生治病和急救的高人；广州的那位则能透视人体，也能看到人身上的经络，直接处理阻塞之处；陈玉琴则对慢性病有许多独到的见解，我书中大部分的概念来自于她。

——吴清忠先生与我的通信

吴清忠先生所著《人体使用手册》以其对中医理论的深入理解和雅俗共赏的写作手法在华人读者中享有盛誉，40万册的发行量创造了大众健康类图书的发行记录，对中医的普及起到了不可低估的作用。就是这样一个老吴，在他的博客上说我是他的启蒙老师，引得许多朋友不解：老吴在年龄上比我大近20岁，那我怎么成为他的启蒙老师了呢？其实老吴就是这样的人，老顽童，就像金庸笔下的周伯通，从来没有名份尊卑的概念。回想起来我和老吴认识也已经有10多年了，许多趣事往事、仍然历历在目。

　　记得那是1993年，我随一个企业家朋友到上海逗留，住在老吴公司的别墅里。老吴当时也是个商场中人，或者用金融家、投资家来形容他更合适些，据说他掌管着几亿美元的项目基金。听说我对中医颇有研究，老吴每日下班便驱车前来接我去他家共进晚餐。老吴是个很注重生活品质的人，对时间的运用也是"公私分明"。比如他在家里从来不谈公司的事儿，饭桌上总能谈些趣闻逸事，且胃口极好。

　　饭后，我和老吴经常在书房边品茶闻香边谈医论道，甚是投缘。老吴极为聪明，有过目不忘之能。记得我曾与他谈论中医的五运六气之法，结果，不到一个时辰他已熟记于心了。老吴当时就已对中医养生有着很独特的见解，并由此涉猎了现代生物学、心理学等许多领域。我们时常发生争论，我较强调医者的神能，他更重视患者的自愈，争到最后往往不了了之。我虽是执拗之人，他却能宽容忍让，所以从来没有发生不欢而散的情况。

　　现在想来，老吴真是难得的良师益友：他的博古通今和中西合璧对我的中医理论体系也有很好的启迪，而他的包容精神至今让我由衷地钦佩。

　　每到子时，我们便开始打坐诵经。老吴最喜《心经》，唱诵得动人心魄。我们一唱一和，甚有意趣，真是"头上但有星照月，心下唯余一点空"，虽难超凡入圣，却也乐在其中。这样闲逸的日子真让人怀念啊！

　　后来，我的朋友送了老吴一套破损不堪的乾隆年间的《医中金鉴》，老吴如获至宝，时常拿出来研读，我每每笑他不务正业，他总是神秘地说："这里面都是经商的高招。"看来老吴已经得道，一通百通了。

　　后来，我的那位企业家朋友出国发展了，老吴的投资生意越做越大，我也忙于自己的事业，大家便无暇相聚，平日也甚少往来。有时老吴的朋友从上海来北京，只是相约喝茶或者打球，转达一下彼此的问候，一晃很多年未曾谋面。直到去年8月，老吴的一位朋友专程给我送来《人体使用手册》。看过书后，我拍案叫绝，激动不已，连忙找出老吴的通讯地址，用刚学会的五笔输入法打了一封简短的信：

清忠兄：

　　你好，好久不见，甚为想念。拜读大作《人体使用手册》，令我瞠目结舌、拍案称奇。

　　把简单的问题复杂化，世人多有擅长；但能把纷繁玄奥的中医理论说解得如此平易近人，兄真乃当世第一人也。

　　解读古人亦不为难，兄多有石破天惊的高论奇想，独出心裁。"人体电压"、"功能系统"、"气血水平"……真是妙语连珠、口吐莲花，让我读罢，酣畅淋漓，获益匪浅。

　　兄之高论，效法自然，中西合璧，若充之以更多简易有效之方以养生疗疾，防患未然，让世人从此摆脱茫然无措、任人摆布的求医之路，真是功德无量！

　　　　　　　　　　　　　　　　　　　好友　郑幅中
　　　　　　　　　　　　　　　　　2005年8月28日于北京

第二天一早，我便收到了老吴的回复：

幅中老弟：

　　收到您的信，很意外很高兴。本应以兄互称，但我俩年纪差了一大把，称您为"兄"显得有点假，直接称您"老弟"反而自然些。

　　我们真的好久不见，我的老朋友阿栋蒙您照顾，身体确实进展不少，说真的，如果不是您的医术，他可能早挂了，我们经常提起您。在中国让我最佩服的医家一共只有三个人：您是第一个；

再有是广州的一位特异功能者，他行事比较低调，名字就暂且不说；还有一个是我书中所说的陈玉琴。你们三个的长处各有不同，您是养生治病和急救的高人；广州的那位则能透视人体，也能看到人身上的经络，直接处理阻塞之处；陈玉琴则对慢性病有许多独到的见解，我书中大部分的概念来自于她。

您的提议非常好，我知道您有许多简易有效之方法可以养生疗疾，我们可以合作将之出版问世，一方面让世人真正了解中医的神妙，使许多罹患绝症的人有一线生机，挽救许多家庭的悲剧；另一方面也可以为我们自己打出一条宽阔的人生道路。我相信我们俩合作的作品必定会比我的第一本书更实用更精彩，而这些书不单适用中国人，也适合外国人，有机会在全世界发行。

吴清忠
2005 年 8 月 29 日

老吴的回信让我很振奋，但我自感缺乏写作的意识和感觉，恐写出的东西枯燥刻板，或因为我反而坏了老吴的英名，因此犹豫着迟迟没有动笔。老吴来信询问，我便说，干脆我先办个博客吧，看看人气和读者的反应情况如何；有了读者的鼓励，再言写书也不迟。老吴对任何事情总是遵循顺其自然的原则，他不仅赞成我的提议，还在我的博客推出之后在他自己的博客上进行了大力推举。与这样的朋友合作让你觉得没有丝毫的压力，因为他总会包容你的一切，然后全力支持你！老吴虽是台湾人，但他的口头禅倒是一句地道的北京话：哥们之间，何必客气呢？

认识老吴，真是我人生中的一大快事。

第一章

对待身体要像对待
自己的孩子一样

　　身体是自己的，犹如孩子是自己的一样，疾病就是孩子的恶作剧，是孩子野性的一种宣泄，它是一种巨大的能量，可以转化为成长的动力。但我们往往敌视和恐惧这种能量，不惜耗费更多的能量来清除它，这无异是一种疯狂的自相残杀。

1. 如果疾病是鱼，那么身体应该如何养它

> 一种疾病对应着一种思想，如果说一种水可以养一种鱼，那么思想就是水，而那疾病就是鱼。如果鱼死了，通常是水的问题，证明这种鱼不适合在这种水里生长。也就是说这种环境不适合这种疾病的生存。所以改变环境就等于消除了疾病，而且是从根本上消灭了疾病。

所干的事和心中所想应该是相一致的，这样心力协调，才能得心应手。如果心中是要隐藏的而行动是要彰显的，心中是要抒发的而行动是要压抑的，这样力量还没作用在外面，里面已经内耗掉一大半了，是绝对不会有好的结果的。所以身心的协调才是治病之本。

一种疾病就是一种思想，是无形的思想以有形的病症表现出来。我们可以消掉有形的肿物，如果它不是靠内力，而是靠手术直接割取，那样它还会以另外的形式再显现出来。但如果我们靠药物的帮忙，激活了我们自身的能量，而把瘀阻消除，那样在肿物消失的同时，相应的思想也消失了，或受到了抑制。一个人身上有许多能量需要释放，如果不让它从正常途径出来，它就会另寻出路，总之它是一定要释放的。我们无法阻止它（我们为什么要阻止呢），但我们可以选择释放的途径。途径不同，思想就不同，所得的疾病也就各不相同。

一种疾病对应着一种思想，如果说一种水可以养一种鱼，那么思想就是水，而那疾病就是鱼。如果鱼死了，通常是水的问题，证明这种鱼不适合在这种水里生长。也就是说这种环境不适合这种疾病的生存。所以改变环境就等于消除了疾病，而且是从根本上消灭了疾病。所以水是关键，思想是关键、源头。只要有适合生长的水环境，那么即使不是鱼，而是虾，或是泥鳅，都会繁殖起来。

2. 送您轻松赶走"亚健康"苍蝇的技巧

> 在我看病的过程中，很多人并没有什么大问题，但常被很多无法解释的症状困扰，这给他们的心理带来的压力远大过身体的不适。因为我们不知道这颗地雷到底埋在哪里，又会在何时爆炸。

现在人们对健康这个词越来越敏感了，因为很多人平时常出现浑身无力、容易疲倦、头脑不清爽、思想涣散、头痛、面部疼痛、眼睛疲劳、视力下降、鼻塞眩晕、胃闷不适、颈肩僵硬、早晨起床有不快感、睡眠不良、手足发凉、手掌发粘、便秘、心悸气短、手足麻木感、坐立不安、心烦意乱等症状，去医院检查也查不出"病"来，各种检查往往显示一切正常，最后给出了一个含糊其辞的结论——亚健康。

虽然查不出"病"，可亚健康带给身体的各种不舒服就像整个客厅虽然只有几只苍蝇，要不了命，但是它们总是到处乱飞，在你眼前绕来绕去，搞得你心烦意乱。苍蝇虽小，但如果你手中没有类似一把苍蝇拍那样简单易行的应对方法，你还真拿它没办法。有许多人每天都在被身体的各种不适折磨着，为自己的健康而担忧。

在我看病的过程中，很多人并没有什么大问题，但常被很多无法解释的症状困扰，这给他们的心理带来的压力远大过身体的不适。因为我们不知道这颗地雷到底埋在哪里，又会在何时爆炸。这样一来，我们整天都会生活在恐惧当中，最后变成疑神疑鬼的妄想狂。

其实，亚健康在中医看来就是"病"，可能是五脏六腑功能的不协调，或者是经络不通畅，也许就是表浅的风寒，这些表现比较初期和轻微，但带来的症状却很明显。它们都是疾病的萌芽，是祸根。如果任其发展，家里便会苍蝇成群。如果机器诊断不出来的疾病就是亚健康，那它比能诊断出的疾病更可怕，因为它是那些可怕疾病的温床。

其实，没有什么可怕的，所有的这些症状就是几只苍蝇搞的鬼。我们只要搞好家里清洁，关好门窗，使其没有侵入与滋生的空间，同时拥有一把小小的苍蝇拍，在它麻痹打盹的时候拍一下，那我们永远都会胜利在握，从此自由地享受健康的生活。

我们应该怎么做呢？

一、搞好体内的清洁

亚健康状态都是不良地使用身体造成的。该吃饭的时候不吃饭，该睡觉的时间加班、看电视、泡吧，或整天对着电脑目不转睛，身体动也不动，吃饭的时候胡乱对付或者胡吃海塞等等，好好检讨一下自己的大脑意志是如何虐待自己的肉体的吧。

二、打苍蝇的技巧

当然，由很多不良习惯造成的亚健康，单单靠打扫卫生可能不会很快见效，如果大家愿意为自己的健康付出点时间的话，我倒是很乐意告诉大家一些打苍蝇的技巧。这些简单易行的方法可以有力地协助身体赶走不适，加速回归健康。

为了健康，我们要掌握的一些必要知识：

一、经络和穴位知识（只要大家手里有一张经络图，或一个塑胶的针灸小人即可，在任何一个稍大点的药房都可以咨询在哪里买得到，或向工作人员预定）。

二、常用的中成药知识。

三、简单的健身法知识。

四、正确的健康理念（这个非常重要，推荐吴清忠老师的《人体使用手册》读一读)。

以上4条就是我们要学习的全部内容,我会继续向大家分别讲解,欢迎大家共同学习和讨论,分享各自的健身感受。

■ **读者文摘** ■

提起那些使人绝望的疾病,谁该得,谁又不该得呢?恐怕很多人会有这样的宿命观:今天是自己的朋友、亲人、同事,也许某一天会是自己也说不定呢?很多的成年人没有健康的自信。读了郑老师的文章,我想很多人会和我一样对他心存感激,这样的无私分享使我们渐渐地有了健康的底气。我们健康地生活着,开心地迎接每一个日出日落是多么幸福的事情!

(月儿)

3. 要坚信人体有不可思议的自愈能力

> 如果用蛇来比喻西医的方法，虽略显刻毒，却也还算形象；用狗来形容中医的方法，多少有些偏爱的成分。当然，最好还是让猫做警醒者，毕竟它是老鼠的天敌。

人体有很强的自愈能力，这一点很多人都非常清楚；但当疾病真正光临我们的时候，我们又有谁会坚信它真能战胜敌人呢？其实你不相信它是明智的，因为它确实帮不了你。它就像是家里养的猫，本想用它来威慑老鼠，可它却趴在那里睡大觉；当老鼠光临的时候，它常常睡意正浓，通常都是老鼠把东西咬坏，最后竟去放胆扯它的胡须时，它老人家才会"喵"的大叫一声，将老鼠吓跑，可此时屋里已是满目疮痍，家什已被咬得残缺不全了。这样的猫，我们怎能信任它呢？但是不管怎样，猫是为老鼠而降生的，不用它，我们还能用谁呢？对，蛇是捕鼠高手，但往往没捕到老鼠却先把我们咬伤了；狗也可捕鼠，偶尔也会疯狂咬人，但通常还很安全。

如果用蛇来比喻西医的方法，虽略显刻毒，却也还算形象；用狗来形容中医的方法，多少有些偏爱的成分。当然，最好还是让猫做警醒者，毕竟它是老鼠的天敌。

读者文摘

人体有很强的自愈力，我本人就有这样深刻的体会。

在5月，我的皮肤上出现了红点，刚刚开始是手上、背上，最后蔓延到全身，真的可以用体无完肤来形容。我自己也知道这是因为疲劳过度引起的。刚开始在医院看，西医把这当成是皮肤病来治疗，就是打营养针，过了一个月根本没有效果，反而更加严重了：吃什么都过敏，除了米饭与用很少的盐水煮的蔬菜，别的基本没什么可以入口的，当时真有生不如死的感觉。那个时候我自己也感觉到不是皮肤病那么简单，根源在身体里。我费了好多周折找到了之前一直为我看病的中医，当他看到我的时候，第一句就说："你的病在血液里。"他给我配了7副药，还告诉我一些要注意的事项。吃了3副以后明显就好转了。

(林真子)

自我调节比什么都重要。感冒了按一按穴位，督脉暖一暖就好了，让自身的免疫功能也练练兵，不用则废呀。西医的感冒药是把双刃剑，对造血系统有损害。如果我们都用中国传统的方法，便不会有那么多副作用。

(卡桑)

明白了，把自家的猫（自愈）养好养壮，结合狗（中医）来看家护院，不到迫不得已的时候不用蛇（西医）。

(路过蜻蜓)

4. 对待身体要像对待自己的孩子一样

> 身体是自己的，犹如孩子是自己的一样，疾病就是孩子的恶作剧，是孩子野性的一种宣泄，它是一种巨大的能量，可以转化为成长的动力。但我们往往敌视和恐惧这种能量，不惜耗费更多的能量来清除它。

对待自己的身体就要像对待自己的孩子一样，应该关心它、帮助它、引导它、锻炼它，不要漠视它、压抑它、强制它、仇视它。如果孩子犯了错误，我们更要去倾听他的诉说，而不要一棒打死，或者交给警察、送进监狱。当然也不可放任自流。身体是自己的，犹如孩子是自己的一样，疾病就是孩子的恶作剧，是孩子野性的一种宣泄，它是一种巨大的能量，可以转化为成长的动力。但我们往往敌视和恐惧这种能量，不惜耗费更多的能量来清除它，这无异是一种疯狂的自相残杀。当淘气的孩子被打折了一条腿，他还会坐在轮椅上大声哭嚷，惹得你还想揍他，可他已经残疾了。

■ 读者文摘

我们要的是健康，而不是疾病！但是好多人都是关注疾病，而不关注健康。为了追求一个心仪的人儿，我们可以追过几条马路，可以站在风雨中默默等待，可以为了她不吃饭不喝水；为了完成工作，我们熬夜，我们喝酒，我们吃那些没有营养的盒饭，我们睡办公室；而我们为健康投资了什么？

为了买一个漂亮的房子，为了买一个漂亮的车子，为了娶一个漂亮的妻子，为了孩子的前途，我们一直都在透支自己的身体。而身体一直默默地支撑着我们，偶尔身体实在支撑不住的时候，用咳嗽一次、发烧一次、流一些鼻涕来警告我们，我们却不允许它有这样的反应，就给它吃抗生素、喝药水……

我们拼命糟蹋我们的身体，身体却拼命地为我们辛苦工作，而我们却不让它发出哪怕是一点点反抗的声音。

如果世界上还有最爱的话，那么最爱你的人就是你的身体！

我们的身体在我们吃下去的食物中找一点对你有用的东西，用来修复我们受损的细胞和组织，在我们有限的睡眠时间里帮助我们制造血液、排除垃圾，一直全力以赴地为我们服务，希望你明天醒来的时候能够精神一点，希望你能够采购到一点身体需要的东西给它。可是终于有一天，身体顶不住了，我们生病了。

我们创造了所有生病的条件，我们不得病谁得病呢？这怪谁呢？西医把这些归罪于细菌、病毒，却不肯归罪于最大的元凶——我们自己。

威尔修说："细菌是在寻找它们天然的栖息场所——病组织，而不是作为病组织的起因。就如蚊子只是寻找静止的水面，却没有让水静止一样！"细菌何罪？

好好爱那个世界上最爱你的人——你的身体吧！

希望我们都坐上《求医不如求己》这趟开往健康的列车，永远永远都不要中途下车！

（翻书等缘）

5. 任何医疗的最终目的都是为了激发患者天然的自愈潜能

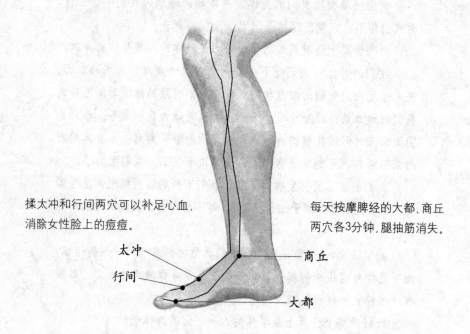

揉太冲和行间两穴可以补足心血，消除女性脸上的痘痘。

太冲

行间

每天按摩脾经的大都、商丘两穴各3分钟，腿抽筋消失。

商丘

大都

> 一切医疗要达到的最终目的都应该是激发患者天然的自愈潜能，医者一定要坚信，这种能量是无比巨大的，要帮助患者找到他的能量库，然后把这种能量一点一点地释放出来。

有些人惊奇于我的治疗效果和辨证的准确，想探究其中的奥秘和思考过程。其实，就是4个字——"身临其境"。当我诊治病人的时候，我就是病人，我会用身心去体会病人的感觉，我会站在病人的角度去思考，就像在和病人同唱一首歌。

其实治疗的过程并不复杂，但是需要创造一个治疗的环境，用现在时髦的话，就是要营造一个氛围。当我按摩的时候，我的手就是我的语言，它要和病人身体发生对话，而不是毫无目的地我行我素。治疗的过程就是一个身心交流的过程，我会倾听病人急切要向我表达的，那通常就是问题的答案。而我们很多医者往往觉得病人说的话没用，他们宁愿去相信他们的成见，他们宁愿执著地去苦苦思索，从厚厚的医书中去寻找答案，也不愿意倾听患者的一句陈述。他们认为患者是外行，说的尽是些没用的东西；他们认为治病是医生的事，患者不过是个破损的、需要修理的机器而已。

人们通常认为，看病的水平取决于经验，看的病人多了，自然水平高。我不这么认为，医院里看了一辈子病的老庸医比比皆是。如果看病的理念和方法在一开始就错了，那么后面的一切操作都将是错误的累积。

我通常把病人比喻成暂时停走的挂钟，而医者就是拨动钟摆的手指，只要挂钟被拨动了医者也就完成了他的使命，那个挂钟就会按照自己的节律有条不紊地一直走下去。但如果这手指自命不凡，想替代钟摆的作用，反复地去拨动它，那么这个挂钟就会丧失其应有的节律，疾病将会迁延不愈。一切医疗要达到的最终目的都应该是激发患者天然的自愈潜能，医者一定要坚信，这种能量是无比巨大的，要帮助患者找到他的能量库，然后把这种能量一点一点地释放出来。

一位朋友的母亲每晚腿都会抽筋，医院确诊为缺钙，可吃了大量补钙的药品和食品都毫无效果。我诊断后说："脾经堵塞，钙无法吸收。"嘱其每天按摩脾经大都、商丘两穴各3分钟。结果3天后腿抽筋消失。我们总寄希望于外来的神力，其实，一切的奇迹都是你自己创造的。

那天，在朋友家碰到一个二十几岁的女孩，人长得很漂亮，就是脸上有许多痘痘，让谁见到都会感到有几分遗憾。我为她把脉，除心脉显得虚弱以外，其他脉象都还正常。我只让她揉太冲和行间两穴，以补足心血,这样新鲜血液才能上达头面,才会把痘痘运走。一周后,她又碰到我,此时脸上的痘痘已经十去六七,脸也显得白皙了许多。她对我感激不尽。其实我什么也没做,只是给她指出了她的能量库而已。

南宋大学问家朱熹曾写过一首诗:"昨夜江边春水生,艨艟巨舰一毛轻。向来枉费推移力,此日中流自在行。"这其中的意境,真值得我们细细品味。

6. 要相信医生，更要相信自己

> 不相信医生，而相信自己，有些人连想都不敢想吧！我可以肯定地告诉你，只要你改变固有的观念，再稍微懂得一点相关的知识，你完全可以轻装上阵，不必再为身体而烦忧。也可能你会转而忧虑医生失业的问题了。

"有什么别有病，没什么别没钱"，这是人们常挂在嘴边的一句老话。细想起来似乎后半句很容易解决，只要自己勤奋努力，钱是不愁挣不来的；而人吃五谷杂粮，哪有不生病的，恐怕是防不胜防，人们因此去健身，去吃各种营养食品和药物，可得病的概率依然没有减少。很多人在事业上雄心勃勃、是挑战风险的勇士，但在疾病面前却是六神无主、忧心忡忡的懦夫。于是人们纷纷把最宝贵的生命交给大夫去处理，交给医疗机器去决定，觉得这是顺理成章的事情，也是无可奈何的事情。这样看来，如果连自己的生命都不能由自己做主的话，那么一切的奋斗、一切的修炼、一切的所谓成功不都是脆弱和可笑的吗？人还有什么自由可言？其实，我们完全可以清清楚楚地知道自己的身体状况，并懂得如何去完善它，只是我们自动放弃了老天赋予我们的这种能力，而更多地去依赖专家的判定，去相信机器的数据而不相信自己的感觉。我们都会嘲笑"郑人买履"中的主人公，但是我们哪一位又比他强多少呢？不相信医生，而相信自己，有些人连想都不敢想吧！我可以肯定地告诉你，只要你改变固有的观念，再稍微懂得一点相关的知识，你完全可以轻装上阵，不必再为身体而烦忧。也可能你会转而忧虑医生失业的问题了。总之，不要把问题想得很复杂，就这么简单，因为这是你本来就有的能力。

7. 必须学会与疾病切磋

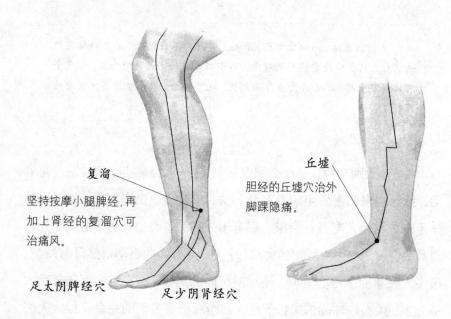

复溜

坚持按摩小腿脾经,再
加上肾经的复溜穴可
治痛风。

丘墟

胆经的丘墟穴治外
脚踝隐痛。

足太阴脾经穴　　　　**足少阴肾经穴**

> 疾病真的那么可怕吗?其实不然,疾病是可以预知并加以控制的。它
> 是不速之客,但它是特殊的,你不可生硬地去推搡它,那样它必和你顶起牛
> 来,你可以搂着它的肩膀一起出门,在门口你还会对它的到来说声谢谢。因
> 为它是上天给你派来的陪练,通过切磋,你的身心会更加健康、充满力量。

　　家里有人得病,大家通常的反应是慌乱,然后是忧虑、恐惧。有
一个30岁的患肾病的先生在网上的留言最能表达这种心情——"其实
我自己对这个病并不怕,只是看到老婆每天担心的样子,还有个一岁
大的孩子,她就怕我出事!原来生病并不是一个人的病,而是全家人
的病啊!"

　　得了病,通常我们会去听听周围众多人的意见,有人说看西医好,
有人说吃中药好。看西医时我们担心有副作用,喝中药时我们又怀疑

其疗效。好像一旦得病，就成了受人摆布的玩偶，就像是赌桌上的骰子，只有听天由命的份了。此时什么尊严、什么智慧、什么成就，一切都将在疾病面前俯首称臣、不堪一击，因为我们有劲也使不出来。还有的人怕家里人知道自己有病而担心，怕单位知道自己有病而通知下岗，怕上司知道而影响升迁，怕女友知道而分手，于是强力去掩饰、隐瞒，最后养为大患。疾病其实是每个人都要面对的一道必须解答的难题，如果您解答不出或想避而不答，那你也就别想快乐地往前走了，因为疾病就是人生必经的桥。

疾病真的那么可怕吗？当然，如果它是猝不及防的雪崩、地震、海啸，那真是令人恐怖，但疾病是可以预知的，是可以观察的，是可以被我们拒之门外的。它往往是不速之客，身份很特殊，你不可生硬地去推搡它，那样它必和你顶起牛来。你却可以搂着它的肩膀一起出门，在门口你还会对它的到来说声谢谢。因为它是上天给你派来的陪练，通过和它的切磋，你的拳技大长，身心更加健康，更加充满力量。

由此看来，疾病一点也不可怕，尤其是现在，我已经给你提供了那么多的工具和方法，你只需要先静下心来，看看自己真正的问题到底在哪里。有时，找到了问题的根源，治疗起来就如滚汤泼雪一般迅捷，出乎你的想像。

前不久，一个朋友给我打来电话，说困扰他5年的痛风不经意间就全好了。记得他半年前还担心自己会被截肢呢。那时他的痛风非常厉害，经常大半夜就被急救车送进医院。我只告诉他要经常按摩小腿脾经，再加上肾经的复溜穴，以缓解肝脏的负担，达到补肝的目的。（肝不可直接补，一补就上火，所以减少肝脏的负担就是补了。）而痛风就是肝脏解毒的功能弱了。什么尿酸、什么嘌呤，不过是肝脏解毒不完全的产物。不要被这些名词所迷惑，而不知真正的问题出在哪里。

他告诉我，他总共自己按摩也不过5次，突然有一天后背奇痒无比，他便找人刮了痧，出了满背的黑紫痧，自那以后痛风再也没犯过。

朋友小高告诉我一件喜出望外的事。她说两周前我曾教她找胆经上的穴位，结果当时我随便点了那儿几下，就把她一直隐痛的外脚踝治好了。其实，我也不知道她的外脚踝有问题，只是摸脉觉得她的胆经有阻塞，便告诉她要多揉胆经。现在想起来也不奇怪，她痛的地方正是胆经的丘虚穴。很多人总爱崴脚，其实都是胆经阻塞闹的。

举这些不经意间治疗成功的例子是想告诉您，不要把治病搞成很繁琐的事。有的朋友每天要按摩很多穴位，还要刮痧、拔罐、练功，总觉得运用的方法越多，治疗的效果越好。其实并非如此，我们的气血就那么多，我们需集中力量，逐个解决身体的问题；切不可将气血分散各处，无的放矢，这样越治问题会越多，终将失去信心和耐心。记住：简单才有效，顺势才迅捷。

8. 中医西医应该是战友，而不是夫妻

> 其实中医西医之争真是无谓之争，本来就没有优劣，如同山水画与油画、佛教与天主教、咖啡与清茶、数学家与诗人之较。

信西医者觉得西医是科学的结晶，而中医是玄学迷信。或说中药或许有效，而医理却是杜撰牵强之词，更有甚者言中药也不过是安慰剂，真是把中医几千年的探索等同于原始部落的拜神祷祝了。现代社会有众多疾病西医是明言无法医治的，而中医却有很明显的疗效，这也是不争的事实。

其实中医西医之争真是无谓之争，本来就没有优劣，如同山水画与油画、佛教与天主教、咖啡与清茶、数学家与诗人，只是标准不同而已，并无高下之分。但二者确实是不好融合在一起，咖啡和清茶混在一起就是污水，国画和油画同画一处便为涂鸦，数学家和诗人也难有共同语言。好的东西合在一起有时候更加完美，有时却相互破坏。像中医西医二者的关系应该是相互配合、各显其能的战友，而不是珠联璧合、水乳交融的夫妻。

举个实际的例子，如支气管炎，西医主张消炎止咳，中医倡导宣肺化痰。先让西医治，症状很快消除，但随即又复发，不能去根；请中医来调，体质确有增强，但是症状却难以消除，最后变成老慢支。中医西医都望而生畏，故有"内科不治喘"的老话。

一间房子，堆满垃圾，招来苍蝇无数。西医说，我有特效杀虫剂，只要一喷，苍蝇马上被消灭。果不其然，西医拿着喷枪，一会儿的工夫，苍蝇便尸横遍野，全部被歼，但屋里的垃圾西医却不管清除；没过多久苍蝇们闻着垃圾的味又来了，而且比第一次更多，因为屋里更

脏了。西医再来喷药，喷着喷着，苍蝇们不再害怕这种味道了，西医也就只好向苍蝇们投降了。换来中医，中医说，为什么会招来苍蝇，那是因为屋里垃圾太多，只要把垃圾清除，苍蝇便自然不会再来了，所以要先打扫房间，清除垃圾；苍蝇嘛，先不去管它。经过中医的清理，屋里垃圾确实见少，可苍蝇却不见少，因为苍蝇也在繁殖，尽管垃圾少了，但现有的垃圾也足够它享用一段时间的，中医终于也有些累了、烦了，便歇下来，苍蝇们便更猖狂了。这就是慢性炎症性疾病无法治愈的根源。

其实中医西医完全可以协同作战，各显优势。西医先喷药把苍蝇杀光，中医马上清理垃圾，让苍蝇没有繁殖的环境和时间，一来一往，疾病很快就可以痊愈，不治之症将变成易治之病。可是囿于门户之见，中医西医往往互不相容，或阳奉阴违。宽容点的大夫也只是不反对，但彼此却不合作，所以病人总是奔走于中西医之间，不知所措，真是事障易解，理障难除。所以，中医西医的矛盾是人的观念问题，跟医学本身无关。

9. 身体的不适不一定是有病

> 医生的职责就是协助和导引病人找"启动"这个自我修复程序的开
> 关，而不是在没弄清前揣测身体的意思，胡乱地拨弄它们，干扰它们，扰
> 乱其他正常程序的工作。通过仔细的检查与询问，医生发现了开关所在，
> 用针灸、按摩、药物等方式，帮身体启动这个程序，剩下的工作就是身体
> 自己的事情了。

　　人活着谁没生过病，不论大病小灾，疾病的发生就好像被人触动
了某个开关，运行了某段程序；而疾病的愈合好转则像身体内运行的
另一套自救的程序。疾病的发生与痊愈，就在于这个程序能否正常启
动，像电源开关一样简单，因此古人形象地称之为"病机"。疾病的发
生与好转就像有人在玩弄这个开关一样。

　　可以把疾病发生的原因比做计算机感染的病毒，平时可能潜伏在
体内任一地方，当环境条件成熟而触发这个病毒的发作程序时，于是
就体现出来各种症状。而疾病的治疗和康复则是另一套自我诊断和修
复的程序。人体修复程序比计算机高明得多、复杂得多。

　　医生的职责就是协助和导引病人找"启动"这个自我修复程序的
开关，而不是在没弄清前揣测身体的意思，胡乱地拨弄它们，干扰它
们，扰乱其他正常程序的工作。通过仔细的检查与询问，医生发现了
开关所在，用针灸、按摩、药物等方式，帮身体启动这个程序，剩下
的工作就是身体自己的事情了。

　　疾病好转程序的启动有时候并不直接体现为身体不适的减轻，身
体可能为了彻底地解决疾病，某些时候的不适会比启动前还剧烈，疾
病的症状反倒可能更重。人们多半会不理解身体的行为，认为身体无

法掌控疾病发展，而去采取中断程序继续运行的措施来减轻痛苦。

现代医学就是这样看待疾病带来的痛苦：人体被看作天生就是软弱无能的，没有外力帮助人体就会坐以待毙，身体自己对疾病没有抵抗能力；因此多采用对抗的治疗原则，而不是帮患者找到开关所在。这些理论认为只有人为地干涉消除身体不舒服的症状，才能帮助患者恢复健康，把身体所有变化（包括好转的变化）多当作敌意，于是发现病变就切除、手术、放疗、化疗，搞得本来就被病毒程序感染而陷入混乱的身体再雪上加霜。用杀毒软件不论好坏一律清除，这个过程可能干掉了坏的程序，同时也把好的程序弄得支离破碎，无法复原；或者根本只是杀掉了部分"坏蛋"，还有一部分却去扰乱其他正常运行程序的工作，疾病从此进入恶性循环；此时即使找到真正对病的修复程序的开关，也可能因为前面一通乱杀，这个程序已经无法启动了，甚至要患者付出生命的惨重代价。

学会听听身体的声音吧，它有自己处理事情的程序，有些程序看似凶险，但运行的结果都是为身体好，人们要学会观察身体的意思，帮助它尽早完成任务，而不是去制造障碍。

10. 体质不重要，阴阳平衡才健康

> 我们的身体从一出生就是阴阳不平衡的，或偏阳盛，或偏阴盛，这两种体质哪个更好呢？过犹不及，无所谓好坏。阳虚的人有阳虚的人爱得的疾病，阴虚的人有阴虚的人爱得的疾病，所以阳虚的人平日以助阳温热为保健，阴虚的人通常以滋阴祛火为养生。尽力达到阴阳平衡，才是健康的保证。

很多朋友急切盼望知道了解自己体质的方法，多次催我快写这方面的文章。我本来想经过深思熟虑再动笔，因为关于体质的问题，其实是一个很复杂、不是三言两语可以说得清楚的；但转念一想，可能我说得越详细，反而会令读者越迷惑，这就好比是说 1 + 1 = 2，谁都觉得简单，但如果要问它为什么等于 2，那就成了"哥德巴赫猜想"，谁也搞不清楚了。所以我就先给大家提供一个简单的框架，让朋友们有个概念，毕竟学习中医是需要逐渐浸润、逐渐悟化的，学习的过程也必须是一个亲身体验的过程，否则学习的只是表面的知识，而不是实质精华。很多朋友想知道自己属于什么类型的体质，我有个粗略的自测项目，当然我这里是按中医的理念来划分的。人的体质类型很多，如果一一细说，反而显得混乱，不如简单地分为寒、热两类（以下阴阳的划分概念不够严谨，望专业人士见谅）。

寒性体质（阳气不足）：最明显的症状就是身体的火力不足，表现为畏寒怕冷、喜暖喜热、不爱饮水或只爱喝热水、腹泻便溏、四肢不温、早晨起来就犯困、一到秋冬便咳嗽流清涕、爱吃葱姜、不喜梨藕、舌淡苔白、津液较多、面色多青白或青黄、身体稍虚胖、喜安静独处、脉搏较缓慢（70 次／分以下）。

热性体质（阴虚火旺）：最明显的症状就是喜冷喜寒，多穿一件衣服便燥热出汗、爱喝水、爱喝绿茶、爱吹风、喜空调、爱吃冷饮，口苦、尿黄赤、烦躁易怒、便秘、口咽干燥、目赤、发热、胁痛、失眠，脉搏多较快（80次／分以上），舌红苔黄、面色发红、不爱睡觉、体味较重。妇女月经多提前，量大色深。

其实严格属于这两类体质之一的人并不多，多是介于两者之间的平常体质。或偏于热，或偏于寒，或里热表寒，或上热下寒，或忽冷忽热。

基于不同的体质，在治疗时就要充分考虑；对于症状，倒可退而求其次了。举一个例子，我曾治疗过一个小女孩，18岁，症状为满脸都是大红疙瘩，还有经久不愈的咽喉疼痛。曾找过许多中医看过，都说是上火了。开的方子全是苦寒祛火的药，她先后吃过龙胆泻肝丸（泻肝火）、导赤丹（泻心火）、西黄清醒丸（祛肺胃之火）、牛黄解毒丸（祛心胃之火）、知柏地黄丸（泻胃肾之火）、连翘败毒丸（清热解毒）。而其脉搏每分钟只有64次，且舌淡苔白，是典型的虚寒体质。我问她平日的饮食偏好，她说最爱吃姜，不爱喝水，更不敢吃凉的，还很怕冷。我于是让她服用较为温热的成药——附子理中丸，是专治胃寒的，一次两丸，一日三次，连服一周。小女孩告诉我说，附子理中丸很好吃，又甜又辣（其实这药我觉得很难吃），咽下喉咙时咽部的疼痛就大为减轻了，然后觉得肚子里暖暖的，很舒服，脸上的大红包也明显小下去了。

治病的时候如果能了解到患者的体质，也就看到了疾病的根本。如果是寒性体质，虽然患病有时也会发热，但那通常是虚热，不是真正的阳气充足，治疗的时候所开药物绝对不可过于寒凉，凉药要少用甚至不用，然后马上温补才可。而热性体质的人虽然也会偶感风寒，表现出畏寒怕冷的状况，但一定不可投大剂温药，只借少许解表之药，用内部的火力将肌表的积寒赶走即可。如果一见发热就祛火，那虚寒体质的人仅有的一点阳气也会被戕伐殆尽；如果一见寒凉就温补，那热性体质的人便如添柴救火，永无平和之日了。

其实，体质就像人的性格一样，是不容易改变的，阳虚多寒，阴虚多热。阳虚的人虽然经过体育锻炼、后天培补，已经不畏寒凉了，但仍然保留着阳气不足的原始机制，一旦放弃锻炼，或外感疾病，先天的体质状态就又会表现出来。所以后天不间断的培补锻炼是必不可少的。阳旺（阴虚）的人虽然因罹患疾病或不良环境导致身体阳气不足、畏凉怕冷，一片虚寒景象，但其身体的原始机制仍是助阳的状态，所以治疗其寒症时不可久用温热，只是中病即止才好。

我们的身体从一出生就是阴阳不平衡的，或偏阳盛，或偏阴盛，这两种体质哪个更好呢？过犹不及，无所谓好坏。阳虚的人有阳虚人爱得的疾病，阴虚的人有阴虚的人爱得的疾病，所以阳虚的人平日以助阳温热为保健，阴虚的人通常以滋阴祛火为养生。尽力达到阴阳平衡，才是健康的保证。

说了一大通，你若听懂了，或可有所启发；若没听懂，也没关系，来日方长，了解——感知——体悟，这就是你学习中医的过程，很多时候是这样，不明白的东西不见得真不明白，明白的东西也不晓得是否真正明白。

■ 求医录

heybill 问：

　　本人体型偏瘦，自小就感冒不断；初中时期暗疮厉害；记得高中时期测的脉搏在80左右。现在是有点畏寒怕冷，又爱喝水，四肢不温又口咽干燥，较容易口腔溃疡。这些是里热表寒的体质特征吗？想早上用山药打粉煮粥吃来调养，不知可行否？

中里巴人答：

　　如果先天体质是那种寒热错杂、虚实更替的情况，您索性别去管它，从后天之本脾胃来重新培补。开始吃山药粥是一个明智的选择，而且，山药薏米粥一定要选用药店的淮山药才有效果。

WYJJ 问：

　　我儿子5岁，自出生起形体就特别瘦小，很挑食，极度不爱吃不爱睡，但平常精力还很旺盛。脸色苍白，眼袋很明显，特别晚才能两脚交替下楼梯。喜欢咬手指或是其他一些不能吃的东西，小时睡觉经常流口水，现在很少流。怕热，睡觉时会出很多汗，不肯盖被子。常年多咳，但痰难咳出，家人为此很操心，请问先生这是什么体质，该怎么调养？

中里巴人答：

　　您的小孩是典型的肝旺脾虚的体质，肝火盛，脾胃却很虚弱。中医五行当中，肝属木，脾属土，木克土。肝火过旺就会影响脾胃正常的功能。而脾胃虚弱就会有流涎、消瘦、挑食、大眼袋等症状。"脾为生痰之源"，脾胃功能不好，痰就会源源不断地产生。而祛肝火的药多为苦寒之剂，最伤脾胃，于小儿不宜。不如用健脾祛湿之法以扶助正气，服山药薏米粥最为妥帖。健脾祛湿，增长气血，又是食品，服用也很方便。药店买淮山药、薏米等量打粉熬粥服用，每日一小碗，相信您的小孩很快就会有一个新的气象。

1.人体经络是养生治病的最好捷径

第二章

养生先从经络开始

经络是联接五脏六腑和四肢百骸的网线和桥梁,也是我们通过体表来医治内脏的长臂触手。但是穴位众多,如何选取?穴有五行,如何搭配?穴有补泻,如何操作?这些皆是纷杂不清的事情。古人已众说纷纭,今人又各抒己见。

1. 人体经络是养生治病的最好捷径

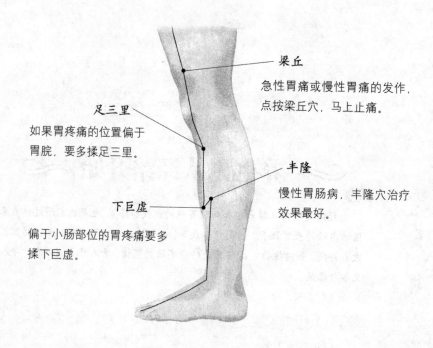

梁丘

急性胃痛或慢性胃痛的发作，
点按梁丘穴，马上止痛。

足三里

如果胃疼痛的位置偏于
胃脘，要多揉足三里。

丰隆

慢性胃肠病，丰隆穴治疗
效果最好。

下巨虚

偏于小肠部位的胃疼痛要多
揉下巨虚。

> 我们只要察看一下是哪条经的铃铛在响，就可以知道是哪个脏腑器官出了问题。这在中医里有句术语，叫"诸病于内，必形于外"。

学习中医有许多入门之径，可以从中医基础理论开始，可以从中药学开始，也可以直接读《黄帝内经》，但是，如果你想切身体会中医的实质，想学而即用、用而即效，那学习经络就是最好的捷径。

经络由经和络组成，经就是干线，络就是旁支，人体有12条主干线，也叫做"十二正经"。还有无数条络脉，经和络纵横交错，在人体里构成了一张大网。经络内联脏腑，外接四肢百骸，可以说身体的各个部位、脏腑器官、骨骼肌肉、皮肤毛发，无不包括在这张大网之中。

所以身体哪里有病，这张网上就会有相应的铃铛响起来向我们报警求救。我们只要察看一下是哪条经的铃铛在响，就可以知道是哪个脏腑器官出了问题。这在中医里有句术语，叫"诸病于内，必形于外"。人体有六脏（心、肝、脾、肺、肾五脏，再加心包）六腑（胃、小肠、大肠、膀胱、胆、三焦），每个脏腑都联接着一条经络，一共12条经络。经络的走向在四肢两侧是基本对称相同的。

经络穴位那么多，哪些是要掌握的呢？

全身主要经络12条，再加上奇经八脉、360多个穴位，听起来就会让人望而却步、无从下手。其实，我们需要掌握的穴位总共也不过20多个。每天记住两个，十几天也就都烂熟于心了。而正是这20多个穴位，在对付一般常见疾病中却显示了出乎意料的神奇效果。我先说一下胃经上的4个常用穴的用法，这4个穴就是梁丘、足三里、丰隆、下巨虚。

对于急性胃痛或慢性胃痛的发作，马上点按梁丘穴有立时止痛的疗效；如果疼痛的位置偏于胃脘，要再多揉足三里。偏于小肠部位则多揉下巨虚。若属于慢性胃肠病的治疗，丰隆穴则效果最好。

记住一点，按摩的穴位不敏感则无效。（可能有3个原因：①穴位的位置找得不准确；②病症与选穴不符；③气血过于虚弱，无法传导到腿部穴位。）

■ 求医录

晓羽问：

请问，感觉麻、酸及痛各表示什么样的气血状况？如果麻是经络还通，只是气到血未到，那么酸和痛又是代表什么？经络通否？

中里巴人答:

酸和痛都表示经络尚通畅，但在该处狭窄或有拥堵，流通不畅快。酸多表示气血虚弱，需要补，不可采用过强手法。而刺痛则表明那地方有气血在，却堵住了，气血正在努力冲撞，此时则稍微用力度大的手法帮助疏通。

2. 肺经——人体里最容易受伤的经

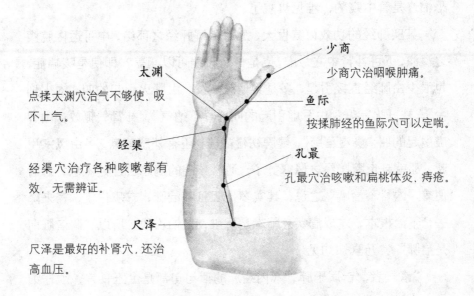

太渊

点揉太渊穴治气不够使、吸不上气。

经渠

经渠穴治疗各种咳嗽都有效，无需辨证。

尺泽

尺泽是最好的补肾穴，还治高血压。

少商

少商穴治咽喉肿痛。

鱼际

按揉肺经的鱼际穴可以定喘。

孔最

孔最穴治咳嗽和扁桃体炎、痔疮。

> 如果你能从"在志为忧悲"想起林黛玉，从"在体合皮毛"想到青春痘，那真是一个很好的开始。学习总要从文字之外读文章才行。

学习中医经络，第一条要讲的总是手太阴肺经。人的气血在夜里3点到5点（也就是寅时）开始冲击肺经，所以此时若出现症状，我们通常要考虑到肺是不是有问题。曾治过一个妇女，每到冬季总是在凌晨4点钟左右躁热出汗，白天则畏寒怕冷。诊断她为风寒束表，心火内盛，典型的"冰包火"。但其发病的根源是肺气不足，无力助心火以驱散风寒，必借寅时肺经气盛才能发汗解表。所以我用补中益气汤补肺而助其宣发之力，顺势而为，一剂而愈。

《内经》上说肺为"相傅之官"，就是宰相大人，可见其地位之重要与尊贵。可是在实际治疗应用方面，很少有人对肺经格外地重视，治疗范围通常局限在感冒、咳喘上面。如果初学者都是这么学习的话，恐怕终是管中窥豹，难见真貌了。

其实肺经的功效何其巨大，上可疏解肝经之郁结，中可运化脘腹之湿浊，下可补肾中之亏虚。岂是一个咳喘可以涵盖？即使是咳喘症，也很少由肺经直接引起，多是其他脏波及。由肝火引起的叫"木火刑金"，祛肝火就好；由肾虚引起的叫"肾不纳气"，补肾气辄效；由脾虚引起的叫"痰湿蕴肺"，健脾祛湿最佳。还有外感咳嗽，多由风寒引起，那就赶走膀胱经之风寒好了。通常咳喘的病总会迁延不愈，古时便有"内科不治喘"之说，其实多是因见肺治肺，有痰化痰，宣来降去，不治根本，才成痼疾。肺本是娇脏，最怕攻伐，所以"调诸脏即是治肺"实乃真知灼见。

"诸气者，皆属于肺。"《内经》的话句句都是金玉良言，须仔细体悟才行。所以，气虚的培补、气逆的顺调、浊气的排放、清气的灌溉，都可以通过调节肺的功能来实现。这是多好的治病思路，怎么可以轻意地一带而过呢？很多人只喜欢从别人那里求得个偏方秘招，并视如珍宝，可《内经》中遍地黄金却无人捡拾。

说到这里，好学者会问，那该怎么调呢？我们最关心这个。其实，《内经》中也都说得非常具体了："肺主宣发肃降，肺是水上之源，肺开窍于鼻，肺主皮毛，诸气愤郁，皆属于肺，在志为忧悲，在液为涕，在体合皮毛，在窍为鼻。"在这里，不但给我们讲述了肺的功效，还告诉了我们具体的治疗办法。有人说："在哪儿，我怎么没看到呢？"那就给你举个例子，前面说"诸气愤郁，皆属于肺"，倘若我忧郁很久了，郁结之气难以排解，从哪里宣发呀？曾治疗过一个70多岁的老翁，他与老伴生气吵嘴，又遭遇风寒，造成胁肋疼痛，医院给他开的舒肝止痛丸，可吃完药胁痛不但没好，还咳嗽上了。我让他用取嚏法，他连打了十来个喷嚏，头部微微出了些汗，胁肋的疼痛当时减轻。我说，既然有了咳嗽症状，就吃点通宣理肺丸将痰排出才好。于是他先后吃了4颗丸通宣理肺丸。咳嗽胁痛只一天的工夫就都治愈了。我这里用的全是《内经》中的治疗方法——肺主宣发，在开窍于鼻，在液为涕。你若有心，这里面的高招妙法随处可见恐怕都捡不过来呢！

如果你能从"在志为忧悲"想起林黛玉，从"在体合皮毛"想到青春痘，那真是一个很好的开始。学习总要从文字之外读文章才行，要知道好东西都在书中的空白处呢！

本应说肺经的，却扯远了，还好，带来几只小鱼一并送给大家。

肺经的鱼际穴定喘的效果很好，只需按揉即可。

有人总觉得气不够使，有吸不上气的感觉，就点揉太渊穴，此穴为肺经原穴，补气效果极佳。

尺泽穴是最好的补肾穴，通过降肺气而补肾，最适合上实下虚的人，高血压患者多是这种体质。

经渠治疗各种咳嗽都有效，使用方便，无需辨证。孔最穴对风寒感冒引起的咳嗽和扁桃体炎效果不错，还能治痔疮。还有个特效穴——少商，是专治咽喉肿痛的，三棱针点刺出血马上见效。

"吾生也有涯，而学也无涯"，学习不是积铢累寸，而是学一达百。饮半盏当知江河滋味，拾一叶尽晓人间秋凉。

■ 求医录

Kyoru 问：

您一开始引用的"冰包火"病例中，有句话这样说："但其发病的根源是肺气不足，无力助心火以驱散风寒。"肺属金主收敛，心属火主宣通。两脏形成火克金之局。为什么补益肺气之后能够帮助痊愈？

中里巴人答：

心为火脏、为"君主"，如遇寒气转责于肺（火克金）。此时肺中储满寒气，但肺气不足，难以宣发。故需补肺。

福星照问：

我儿子12岁，皮肤不太好，小腿上有鱼鳞斑，一到秋冬季节就很痒，孩子经常挠，然后就长痂，有时面积很大，痂很厚。以前夏天就没了，现在夏天还有轻微的。现在又开始长了，孩子很痛苦，夏天都不愿穿短裤。请问老师有没有什么办法？另外，他经常头疼，就是脑袋里有大石头那种，又比较容易感冒流鼻涕，爱出汗。一直有些干咳，好像嗓子总有东西。感觉他非常容易着凉。我给他刮痧，他满背都是痧。以前眼睛下面发蓝，有人说是心脏缺血，现在每天让他喝蜂蜜及螺旋藻，情况好多了。但其他没什么变化。我想请老师指点一下，我该如何调理他呢？

中里巴人答：

从您说的情况大概可诊为脾肺气虚，有几种药可以参照试用——参苓白术丸，健脾益肺，补中益气丸，健脾止泻，玉屏风散，防风止汗。若兼有口干口渴，可用人参生脉饮，若畏寒怕冷则不用。中医讲肺主皮毛，皮肤有问题，多从肺经入手根治。

开心问：

我的湿疹是全身性的，基本对称，先发红，再结痂，痒，一片片的。胃口没有什么特别，就是容易口渴想喝水，皮肤黄。睡眠不太好，不容易入睡，偶尔心悸。大便颜色一直很深，基本每天一次，但是经常溏或者秘，消化吸收不好，是脾胃弱吧？偏瘦，吃的不少就是不胖，体重不到100斤，165cm，女。我的正常体温是36.5度，现在从中午到晚上一直都在36.8～37.5度之间，已经持续近两个月。验过血，血沉快，其他没有异常，1996年得过肺结核，钙化，现在有钙化点，没有重新发作迹象。以前在山东时，皮肤偶尔起小疙瘩，都是星星点点的，现在成片，很痒，经常半夜四五点间醒来，痒。2002年来广东，2005年11月第一次全身突发大面积湿疹。现在在深圳。11月开始吃中药，提供给您其中一个方子，基本上没有大的调整：麻黄5克、柴胡6克、防风5克、川芎3克、杏仁10克、独活6克、荆芥10克、党参4克、菊花6克、薏仁15克、白鲜皮10克、桔梗6克、干姜5克、银花6克、白芷5克、连翘5克、苍术10克、蝉蜕6克、茯苓10克、黄连2克、甘草3克、乌枣10克。

中里巴人答：

您的问题据我分析应该是结核虽愈、余毒未清。肺部病灶尽管已经钙化，但是肺脏已受损伤，肺经调节的功能也大为减弱。中医讲肺主皮毛，皮肤的慢性疾患多与肺的功能有直接的关系。口渴、下午低热也是肺阴不足的表现。凌晨四五点钟也是肺经流注的时间，所以您的这些症状都与肺功能受损有关。但是，肺功能的修复主要靠脾胃的气血供应，如果脾胃也不好，肺脏就无法得到及时修复，想彻底康复也就遥遥无期了。另外，心火旺影响睡眠，肝气旺妨碍月经，都是影响气血增长的障碍，也需一并调理。

提供一个方子仅供参考。一、养阴清肺口服液：口干时服，夜里醒来时服。二、进口西洋参或花旗参：煮水代茶饮或切片含服，量可稍大（西洋参性寒凉，补气养阴，最宜于肺）。三、淮山药、薏仁米，两药等量打成细粉，熬粥。每日喝一小碗，健脾祛湿功效显著。四、加味逍遥丸，每日上午、下午各一袋，舒肝解郁，健脾调经。五、每晚临睡时吃一粒牛黄清心丸（最好是同

仁堂的），清心安神，有利于睡眠，白天心烦燥热时也可服用。如
会刮痧，可在后背膀胱经、手臂肺经刮痧，有利于通调水道，使
湿毒从尿而解。

3. 神秘的三焦经——人体健康的总指挥

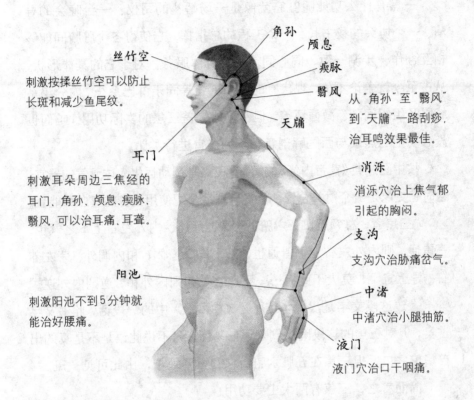

角孙
丝竹空
颅息
瘈脉
翳风
天牖

刺激按揉丝竹空可以防止长斑和减少鱼尾纹。

从"角孙"至"翳风"到"天牖"一路刮痧,治耳鸣效果最佳。

消泺

消泺穴治上焦气郁引起的胸闷。

耳门

支沟

刺激耳朵周边三焦经的耳门、角孙、颅息、瘈脉、翳风,可以治耳痛、耳聋。

支沟穴治胁痛岔气。

中渚

中渚穴治小腿抽筋。

阳池

液门

刺激阳池不到5分钟就能治好腰痛。

液门穴治口干咽痛。

> 三焦有什么功能呢? 它就像是一场婚礼的司仪、一台晚会的导演、一个协会的秘书长、一个工程的总指挥。它使得各个脏腑间能够相互合作、步调一致,同心同德地为身体服务。

我们通常说"五脏六腑",那六腑是什么? 没有学过一点中医知识的人是说不清楚的, 通常只能说全五腑——胃、大肠、小肠、膀胱、胆。还有一腑, 就是三焦。我们的五腑都像一个容器, 且时满时空, 就像我们的胃肠, 被食物填满又排空, 周而复始。三焦就是装载全部脏腑的大容器, 也就是整个人的体腔。古人将三焦分为三部分——上焦、中焦、下焦，上焦心肺，中焦脾胃、肝胆，下焦肾、膀胱、大小肠。

三焦有什么功能呢？它就像是一场婚礼的司仪、一台晚会的导演、一个协会的秘书长、一个工程的总指挥。它使得各个脏腑间能够相互合作、步调一致，同心同德地为身体服务。对于它的具体形状，从古至今就争论不休，现代有的医家把它等同于淋巴系统、内分泌系统以及组织间隙、微循环等，但都不能涵盖三焦的实际功用。咱们也没必要把三焦硬与西医解剖意义下的器官进行类比。

按中医经典《黄帝内经》的解释，三焦是调动运化人体元气的器官。这时它更像是一个财务总管，负责合理地分配使用全身的气血和能量。

"三焦者，总领五脏、六腑、荣卫、经络、内外左右上下之气也，三焦通，则内外左右上下皆通也，其于周身灌体，和内调外、荣左养右、导上宣下，莫大于此者……三焦之气和则内外和，逆则内外逆。"

上边这段文字是汉代华佗所写《中藏经》中的一段话，此书文字古奥，但对三焦的这段阐述倒是通俗易懂。先不说此语是不是真的出自华佗之口，但三焦在五脏六腑当中的重要地位，由此可见一斑。

简而言之，三焦有两大主要功用：

一、通调水道。《灵枢经》上说："三焦病者，腹气满，小腹尤坚，不得小便，窘急，溢则水，留即为胀。"

二、运化水谷。正如明代医家吴勉学在《医学发明》中所说："水谷往来，皆待此以通达。""焦"通"燋"，乃引火之物，以火才可腐熟食物，古人遣词命名皆有深意。

三焦之功能如此强大，理应在治疗上屡建奇功，但实际远非如此，因为大多数医者对三焦概念、功用模糊不清，很少有人去探究它的真正奥妙，只是停留在对传统注释的一知半解上。机理不明，自然也就无法应用，以致有人根本想不起用三焦经来治疗脏腑病这条思路。

这也难怪，古人在三焦治疗上就没留下很丰富的例证供我们参考，就是简单的阐述都难得一见。明代医家孙一奎有几句话或许是其经验之谈："上焦主纳而不出，其治在膻中；中焦主腐熟水谷，其治在脐旁；下焦分清泌浊，其治在脐下。"古人说话都是如此简约，按现代人的思想好像跟没说一样，其实古人只是给我们打开一扇窗，外面的风景还是要我们自己去看的。有心者可以借此通达深入，而更多的人还是指望别人——指点给他——青山在远处，白云在上边，还有流水、小桥——否则即使再开两扇窗，也是一无所见。

学习经络可深可浅，虽不能登堂入室去探宝，咱们顺藤摸瓜去摘些果子却也是举手之劳。请注意观察一下你出现症状的位置，看它是发生在哪条经络循行的路线上，你只要刺激这条经络上的相关穴位，那么症状都会有些改善的。

还说三焦经吧，它的终止点叫丝竹空，正好在我们长鱼尾纹的地方，而且很多女士这个地方最易长斑，所以刺激三焦经是可以防止长斑和减少鱼尾纹的。这条经绕着耳朵转了大半圈，所以耳朵的疾患可以说是通治了，耳聋、耳鸣、耳痛都可通过刺激本经穴位得到缓解。这条经从脖子侧后方下行至肩膀小肠经的前面，所以和小肠经合治肩膀痛。还能治疗颈部淋巴结炎、甲状腺肿等发生在颈部的疾病。由于顺肩膀而下行到臂后侧，所以又可治疗肩周炎，再下行通过肘臂、腕，那么网球肘、腱鞘炎也都是三焦经的适应证。

有一位中年女士，因丈夫有外遇，与其大吵后突然右耳轰鸣不止、昼夜不休，无法入睡。西药治疗3天毫无疗效，朋友求我帮忙，病人此时头痛欲裂、心烦气躁。我本欲在太冲穴施针以泻肝火，但此穴用手掐毫无痛觉，知其肝火已上巅顶，针"太冲"已鞭长莫及。便用三棱针在头顶"百会"附近连刺3下，出血10毫升左右，患者顿觉头目清爽，但耳鸣依旧。于是沿三焦经从"角孙"至"翳风"到"天牖"一路刮痧，出紫痧多而厚，刮至"天牖"时，耳鸣骤然停止。由此也可以看出，三焦经不正是肝火宣发的出气筒吗？曾接触过许多更年期综合征的女士，她们的三焦经个个痛不可摸。

此外，三焦经还有一些你意想不到的功效呢！例如掐中渚穴可以治小腿抽筋，支沟穴可以治胁痛岔气，液门穴可以治口干咽痛。

记得春天和十来个朋友去郊游，都坐在一辆面包车上，可能是山路不平，车颠簸得很厉害，同行的一位女士突然腰痛得坐不住了，我们赶紧把车停下。这位女士曾因腰椎三度滑脱，做过手术，今天突然旧病复发，又是在荒郊野外，急得大家不知所措，纷纷把目光投向了我。可车上空间太挤，根本没地方按摩。我飞快地思考着有何变通的方法。上身的什么经络穴位能通到腰椎去呢？突然，《难经》当中的一句话"三焦，元气之别使"在脑中一闪，我似乎找到了答案。元气乃命门所发，而命门穴正在腰椎位置。当下取三焦经的原穴"阳池"并在其周围寻找痛点，在两个手背找最痛点进行按揉，只揉了不过5分钟，她的腰就一点不痛了。当然，这种手法只是应急，并不能除根。但那天，我们大家却因为这小小的三焦经而能尽兴游玩却无后顾之忧。

还有个一紧张就胸闷的朋友，看书、看报、看电视都会莫名地胸闷憋气、上腹堵胀，胸口就像勒上了禁锢的外壳，不得喘息。经过西医多少次体检也没查出一点毛病来，都认为他是神经紧张闹的！一次朋友聚会，在打闹嬉戏中我无意间用拳头锤了他的胳膊一下，原本是玩笑之举，他却痛苦不堪，捂着肩膀直叫疼："老兄，轻点成吗，又不是武侠片点穴！"我其实根本没用力，大家也觉得他小题大做，不就敲了一下胳膊吗？哪至如此？可看他又不像是故作姿态，我用手按了按他的伤处，他疼得直咧嘴，可马上又乐了："老兄，你真神了？刚才还胸闷得紧，喘气都憋，经你这一打，倒痛快了。"边说边自己按摩起被我敲疼的那块肌肉，胸闷很快就完全消失了。此时我才留心观察他上臂被敲疼的地方原来是三焦经的消泺穴，这样看来，他的胸闷当是上焦气郁而成。想来好笑，我的"无心之过"却解了他的"无名之苦"，还让我更多地领悟了"三焦主气"这句话的奥妙，真是"一捶两得"！

我每天都在积累知识，但我发现学富五车的人很多都没有思维。我每天都在参研事理，但我殚精竭虑仍没有看到觉悟的灵光，倒是在半梦半醒之间，亦真亦幻之际，失神凝望之时，或许有些不期然的东西，那似乎才是我真正想要的。

■ 求医录

求医问：

　　为什么生气会跑到三焦经，气是怎么走的啊？

Jnc 答：

　　因为肝经和胆经之间有通路，而胆经和三焦经内部也有通路，三焦是全身气的调度员，气的问题都归它管，就和出了交通问题要找交警是一个道理。

Xxsh 问：

　　我自小坐车就晕，闻到汽油味就不舒服，会打嗝，只不过我可以控制住不吐。可现代社会想不坐车都难，有没有什么穴位可以治疗晕车？

中里巴人答：

　　这种问题多数是气闹的，下次坐车前你揉劳宫，或事先揉中脘取嗝看看。

4. 救命的心包经——人体自生自长的灵丹妙药

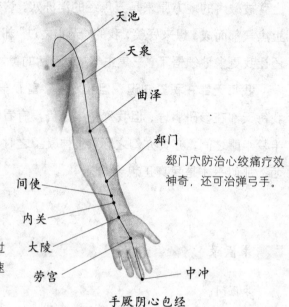

天池

天泉

曲泽

郄门

郄门穴防治心绞痛疗效
神奇，还可治弹弓手。

间使

内关

大陵

劳宫

中冲

劳宫穴治手心出汗、心跳过
速、失眠，补养心脏且补养速
度极快。

手厥阴心包经

· 右手大拇指点郄门穴（又称救急穴，右手五根手指并拢的长度），
同时左手掌作顺时针旋转）对于防治心绞痛疗效神奇。

· 掐按劳宫穴（手心正中，中指弯曲过来处），就能补养心脏，且补
养的速度极快。为什么叫这个名字呢？就是劳累以后到宫殿里去休息。

· 这些穴位如果对症使用的话，绝对就是灵丹妙药，且没有丝毫的
副作用。

学习经络穴位要从实用出发，只学那些学会马上就可使用且确有疗
效的方法。对于那些似是而非的东西，拥有一堆像付款时刷的信用卡，哪
张都不能用，这样的东西不要也罢。

我给大家谈谈心包经，这条经络穴位很少，但宝贝很多，有些穴
位是专病专穴，是其他的穴位无法取代的。至于经络的循行路线，你

只要自行看图确认便可。比如说处于腕横纹上10厘米处的郄门穴（胳膊长短不同，这是大概位置），它对于防治心绞痛疗效神奇。

记得有年10月份的一天，天气较冷，邻居家的女孩急慌慌地来敲我家的大门，说她的爷爷突然坐在地上起不来了。我赶过去一看，只见80多岁的刘大爷脸色煞白，头上大汗淋漓，右手捂着胸口，斜靠在墙角的地上，话都说不出来了。我见此情形，料定是他的心绞痛犯了，便向他孙女要硝酸甘油，可情急之下却一时找不到，急得她直哭。这时我突然想起了一个穴位——郄门，便撸起老人左臂衣袖，用我的左手大拇指点按住郄门穴，右手攥住老人的左手掌进行顺时针旋转。一分钟的光景，老人长出一口气，四肢也由冰凉逐渐转暖；5分钟以后我扶着老人上床休息，此时他已谈笑风生，说当我按住他的穴位时，他感到有一股热流由左臂涌入前胸，心里立即不再发紧，一下子松绑了。郄门穴穴位较深，自己按摩时可用右手拇指用力按住此穴，同时左手腕做顺时针旋转。这时此穴就会有较为明显的感觉。（不要等到发病时才想起去按摩，那时你定是心有余而力不足了，还是平日就揉一揉，防患于未然吧。）

再说个心包经的宝贝穴位，这个穴用处极广，太实用了，这就是位于手心的劳宫穴。劳宫穴，为什么叫这个名字呢，就是劳累了以后到宫殿里去休息。这是我的解释，跟原注不相干，但却能说明它的用途。这是一个补养心脏的穴位，且补养的速度极快。

通常在刮痧前让患者自行准备中药生脉饮，以防止有些人"晕刮"，往往是心脏功能较弱的人会有这种情况。一日为人刮痧，那人刮着刮着突感心慌、恶心，随即就进入了半休克状态，她家里的人慌作一团。我见状连忙掐按她的劳宫穴，不到两分钟她便醒过来，并对我说像是睡了两个小时的舒服觉，一下子就又精神抖擞。

两次意外的经历让我领略了人体穴位的神奇,只要对症使用,绝对就是灵丹妙药,没有丝毫的副作用。

劳宫穴的功效还远远不止这些。参加面试或者是在其他重要的场合,我们有时会紧张得手心出汗、心跳过速,这时你不妨按按劳宫穴(左手效果更好)。转瞬间,你就会找回从容镇定的感觉。

求医录

福星照问:

前一阵子我在心包经上刮痧,轻轻一刮刮出很多小红点。隔了几周之后再刮就只变红了,这样是不是就不需要刮了?还是我刮得有问题?另外,在敲了一段吴老师建议的胆经之后,我最近一周以来晚上10点躺在床上往往要到12点才能睡着,不知道您有没有什么好的办法?

中里巴人答:

大多数人开始都会这样的,我也是。不过你每晚睡觉之前"推腹"会帮助你入睡的。

May问:

如果是弹弓手(中指),用那个穴位针灸?

中里巴人答:

弹弓手(中指),可以用两穴位,一个是郄门穴,一个是内关穴,此二穴都是心包经的,哪个穴敏感就多按哪个穴。

5. 小肠经——人体健康的晴雨表

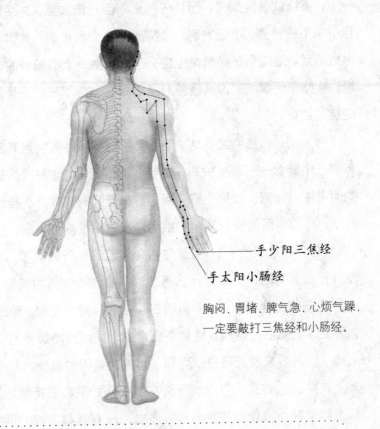

手少阳三焦经

手太阳小肠经

胸闷、胃堵、脾气急、心烦气躁，
一定要敲打三焦经和小肠经。

"麻筋"就是小肠经的线路，你现在用拳头打一下这"麻筋"，看看能不能麻到小手指去。如果一麻到底，证明您心脏供血的能力还是不错的；如果只痛不麻，那你的心脏已经存在供血不足的情况了。另外还有一个更简单的测试法，只要行个军礼，看看上臂靠近腋下的肌肉会不会很松弛，松弛就是此处气血供应不足了。这里正是小肠经，而小肠经是靠心经供应气血的。

有的人总是爱胸闷、胃堵，还有些人脾气很急，老是心烦气躁，动则要与人嚷嚷。这时就一定要按摩三焦经和小肠经。

　　天天守在电脑旁的朋友们通常都会肩膀酸痛。有的人站起身活动一下，很快就恢复如常；而另一些人则会日渐加重，先后背痛，然后脖子也不能转侧，手还发麻。医院通常诊为颈椎病。其实多数是心脏供血不足，造成小肠经气血也虚弱了。观察一下小肠经的走向就会发现，从脖子到肩膀，再从胳膊到小手指，一路下来，正是你平常出现症状的部位。

　　有人问，心脏供血不足，为何会影响小肠经呢？这其实是中医特有的一个概念——表里关系。心与小肠相表里，这种关系是通过经络的通道联系起来。如果心脏有问题，在最初的时候，小肠经就先有征兆了。有的中医能够预知你的疾病，那并不是捕风捉影，随意揣测的（当然总会有这样的人），而是你的身体已经先告诉他了。所以，他并没有什么高明的，更不是什么巫术，只是你不知道内情罢了。

　　现在咱们就揭开谜底：肩膀在开始的时候只是酸，酸的意思是气血不足了，然后是酸痛，酸痛是因血少，进而流动缓慢而瘀滞，不通则痛了。再后来就变得僵硬疼痛了，僵硬是因为血少，血流缓慢，再加上长期固定姿式，血液就停滞在那里；如果心脏持续地供血不足，那么停滞的血液就会在原地形成瘀血，没有新鲜血液的供应，肌肉、筋膜就会变得僵硬，缺乏气血供养的肩膀就好像缺水少粮的边关军队，抵御不住外界风寒的侵袭。如果此时睡觉偶遇风寒，哪怕是一点点风，这不过是诱因，你就会落枕。其实落枕哪是当天得的呀，早已酝酿多时了，风只不过是导火索罢了。

　　有的人不从事案头的工作，肢体也总是在运动之中，那么他们心脏供血不足的情况又怎么考察呢？有一个很简单的方法，我们知道在我们胳膊肘的略下方有一根"麻筋"，小的时候打闹玩耍经常会碰到它，总会过电般一麻到手。这条"麻筋"就是小肠经的线路。你现在用拳头打一下这"麻筋",看看能不能麻到小手指去。如果一麻到底,证明你的心脏供血能力还是不错的;如果只痛不麻,那你的心脏已经存在供血不足的情况了。另外还有一个更简单的测试法,只要行个军礼,看看上臂靠近腋下的肌肉会不会很松弛,松弛就是此处气血供应不足了。这里正是小肠经,而小肠经是靠心经供应气血的。

记得有个朋友,总是胸闷、胃堵,尤其是一紧张或看了点文章和电视新闻,就堵得像胸口压了块大石头一样,呼吸费力。说是精神因素,可实在憋闷得厉害。去医院检查,总以为他是胃炎,心脏也查不出任何毛病。于是吃了许多治疗胃的药物,可憋闷还是常常不请自来,去不了根。有一次聚会,他任何东西都没吃就已经开始胸闷憋气。我帮他按摩三焦经和小肠经,三焦经只有些酸,可当触及小肠经上臂的部分时,发现他那里的肉松弛若棉,里面有许多网状的粘连的东西,手还没用多大力,他已经刺痛难当,直叫我轻点。我问:"胸还憋闷吗?"他惊喜:"奇怪啊,不憋了!胸闷和胳膊还有关系啊!""是啊,心血不足啊,当然憋闷了!""可我没心脏病啊!"我说:"这团肉再松下去,你离真正的心脏病也不远了!"于是叫他回去好好修理小肠经,几个月后复查,那团松松的棉花已经有弹性多了,按摩也不刺痛难忍了,当然最主要的是胸闷对他来说已经是稀客了。

有的人脾气很急,总是心烦气躁,动辄要与人争吵嚷嚷,中医认为是心火亢盛。由于火气太大,无处宣泄,就拿小肠经"撒气"了。结果小肠经就会肿胀、硬痛。顺着小肠经就会牵连到耳朵、喉咙、脖子、肩膀、肘、臂、腕、小手指,造成这些地方或疼痛或麻木。

小肠经就好比一面反映心脏能力的镜子,通过了解心脏和小肠经的表里关系,我们不但能预测心脏的功能状况,还能够用调节小肠经的方法来治疗心脏方面的疾患。所以很多时候,上臂内侧松松垮垮的肉不是靠减肥和练习哑铃弯举就能够解决问题的。好好关注你身体里心脏的晴雨表——小肠经吧!

求医录

失望问:

我胸闷十几年了,要是注意力放在别处,就没感觉,但是一注意到了,就闷。过去在胸部不固定,现在集中在右胸部。胃倒不疼,只是有时有腹满的感觉。这个毛病十几年了,也治疗不好,真让人对西医失望!请问是什么原因,如何施治?

中里巴人答:

做做推腹或用手捏揉一下上臂的小肠经和三焦经走行的肌肉,若疼或刺痛就接着揉,多数胸闷会缓解(个人经验仅供参考)。三焦是管气的,胸闷多跟气有关系,小肠经多和心脏供血有关。不过胸闷也可能是肝气不疏造成,此时推腹和敲胆经、胃经就会有效。

6. 肝经上的太冲穴——最值得人心生敬畏的穴位

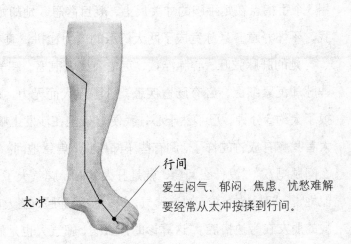

行间
爱生闷气、郁闷、焦虑、忧愁难解
要经常从太冲按揉到行间。

太冲

肝血不足，眼睛就酸涩，视物不清。肝火太旺，眼睛就胀痛发红。夜里总做噩梦，两三点钟便会醒来，再难入睡。

太冲穴可以伸出援手，帮你解决这如此众多的问题。还可以在你发烧的时候帮你发汗，可以在你紧张的时候帮你舒缓，可以在你昏厥的时候将你唤醒，可以在您抽搐的时候帮你解痉。

什么人用太冲穴好呢？最适合那些爱生闷气、有泪往肚子里咽的人，还有那些郁闷、焦虑、忧愁难解的人。但如果你是那种随时可以发火、不加压抑、发完马上又可谈笑风生的人，那么太冲穴对你就意义不大了。揉太冲穴，从太冲揉到行间，将痛点从太冲转到行间，效果会更好一些。

一天去朋友家办事，朋友请我顺便帮他的太太号号脉，说她在国外读的医学博士，根本不信中医，今天正好让她见识见识。

他的太太立即向我伸出胳膊，虽是微笑着，目光里却露出些挑战的意思。我觉得这种测试很无聊，本想拒绝，朋友却搂住我的肩膀，说:"老郑,你今天一定要帮我打消她的气焰,不然她老说我信中医是愚昧无知。"我说:"好吧,那就班门弄斧了。"我和她面对面坐着,我用3个手指点在她手腕的寸关尺上,凝目静思,她却始终微笑地看着我,不怀好意。号脉竟成了两大门派的内力比拼,真有意思!

她的肝脉弦旺、心脉浮数,定是个火气很盛、脾气暴躁的人,而脾脉却沉紧细涩,必有肠胃疾患,肺脉浮大而无力,时有头痛而发。摸了大约3分钟,已了然于心,我便起身坐在沙发上喝茶去了。他太太看我胸有成竹的样子,倒有些不知所措,焦急地问:"怎么样?有什么问题吗?""没什么问题,就是肝火太旺,脾气大了点。"我略带调侃地说。"对、对、对,她这脾气,说翻脸就翻脸,整天都和我嚷嚷!"我的朋友在旁边搭腔。"这算诊的什么病,脾气大也是病吗?"她歪着头,略带轻蔑的口气说。我喝了口茶,慢条斯理地对她说:"脾气大不是病,但容易引起头痛、高血压。"她扬了扬眉,微微点了点头:"还有什么问题吗?"

"脾气大,爱生气,最易引起脾胃受伤,按西医说就是胃或是十二指肠溃疡。还有就是你夜里两点钟左右经常醒来,再也睡不着,白天9点钟到11点钟又困得不行,并开始头痛,但11点一过到晚上又会精神抖擞。"我娓娓道来,她目瞪口呆。"神了,神了,真神了……"她正沉浸在自言自语当中,我已经告辞出门了。

从某种角度上来说,发脾气并不是一件坏事,尤其是对于女性来说。每当男性朋友们向我抱怨太太会无缘无故地发脾气,我总会劝他们当做一件值得庆幸的好事来坦然接受。因为我知道,很多时候发脾气不是由于修养差、学问低,而是不由自主的,是体内的浊气在作怪,它在你的胸腹中积聚、膨胀,最后爆发出来,控制不住。那么这种气又是如何产生的呢?从根源上来讲是由情志诱发而起的。其实这种气起初是人体的一股能量，在体内周而复始地运行，起到输送血液周流全身的作用。肝功能越好的人，气就越旺。肝帮助人体将能量以气的形式推动全身物质的代谢和精神的调适。这种能量非常巨大，如果我们在它生成的时候压抑了它，如在生气的时候强压下怒火，使它不能及时宣发，那么这时它就成了体内一种多余的能量，也就是我们俗话说的"上火了"，"气有余便是火"，这火因为没有正常的通路可宣发，就变成了一匹脱缰的野马，在体内横冲直撞了，这种火上到头就会头痛，冲到四肢便成风湿，进入胃肠则成溃疡。所以让她河东狮吼，宣泄出来，岂不妙哉！

肝火旺是一种上天的禀赋，肝火旺的人有胆有识、精力充沛，常能做成大事，三国时的张飞就是这样的人。还有的人肝火先天不旺，气血不足，这样的人一旦生气，很容易被压抑，无力宣发，只能停滞在脏腑之间，形成浊气；这种气停而不走，阻碍气血正常运行，使血液循环减缓，很容易在体内郁结成块，甚至形成肿瘤。所以有浊气要及时排出，放屁、打嗝便是法宝。

有一种人爱哭，你可别阻止她，有烦心委屈的事能够随感而发，将体内的郁结及时疏解，真是痛快！"肝之液为泪"，这是上天赐予我们每个人的自然解毒法，可以迅速化解肝毒，为何不用呢？有些人大哭了一场，将多年的积郁一涌而出，顿时无毒一身轻。所以这是最高明的治疗方法。哭也会消耗大量的气血，因为浊气不会自行排出，需要调动大量气血将它赶出来。所以大哭之后通常疲惫不堪，困倦思睡，这时就要及时补充气血。另外，也不可总是哭哭啼啼，像林妹妹一样，那就又会造成气血两伤了，所以凡事要恰到好处，过犹不及。

说到肝火，说到生气，就不得不提到太冲这个奇妙的穴位。

太冲穴是肝经的原穴，原穴的含义有发源、原动力的意思，也就是说，肝脏所表现的个性和功能都可以从太冲穴找到形质。我对太冲穴一直怀有一种敬畏的情感，因为它太像是一位不怒而威而又宽厚睿智的长者。它总能给你注入能量，总能为你排解郁闷，总能让你心平气和，甚至在险象环生之时让你临危不乱、勇往直前。难怪吴清忠先生在《人体使用手册》中对此穴推崇备至。

一个穴位竟有如此的功效，很多人觉得我是在夸大其辞。但我觉得因为自己的浅薄，还远没有真正了解它的博大。在中医里面，肝被比做是刚直不阿的将军，"肝为刚脏，不受怫郁"，是说这个脏器阳气是很足的，火气是很大的，是不能够被压抑的。"肝主筋，易生内风"，你看那些中风后遗症的患者通常都是手脚拘挛，按照俗话说，就是筋抽在一起了，这就证明肝已受伤了。"肝开窍于目"，是说眼睛的问题主要是由肝来决定的：肝血不足眼睛就酸涩，视物不清了；肝火太旺，眼睛就胀痛发红。

"肝藏魂"，有一个成语叫"魂不守舍"，就是魂不能踏踏实实地在肝脏这个屋子里呆着，非要跑出来。有的人整天精神涣散，思想难以集中，就像丢了魂一样，这就是肝气虚弱造成的。还有人夜里总做噩梦，两三点钟便会醒来，再难入睡，这都是肝脏郁结的浊气在作怪。太冲穴可以解决这如此众多的问题，所以你一定要善加利用。太冲穴还可以在你发烧的时候帮你发汗，可以在你紧张的时候帮你舒缓，可以在你昏厥的时候将你唤醒，可以在你抽搐的时候帮你解痉。

太冲穴什么人用好呢？最适合那些爱生闷气、有泪往肚子里咽的人，还有那些郁闷、焦虑、忧愁难解的人，但如果你是那种随时可以发火，不加压抑，发完马上又可谈笑风生的人，那么太冲穴对你就意义不大了。揉太冲穴，从太冲揉到行间，将痛点从太冲转到行间，效果会更好一些。

本想奉上一份正餐，却摆上了一堆零食。有些可能不合你们的胃口，捡爱吃的吃一点吧！

■ **求医录**

阿兰德虎问：

我脸色很不好，经常长痘、出油，胃经常会痛、酸胀，有时候两个肋骨下面也痛。我性格很急，会生闷气。还有，我的前额特别高，我想问一下，我这些症状应该怎么用中医来调理？调理好了，我的前额还能长出头发来吗？

中里巴人答：

肝火太旺吃龙胆泻肝丸，肝火较旺又胃痛就吃舒肝止痛丸。平日多揉肝经的太冲穴。请中医大夫摸清脉象再开药，阴阳平衡，气血顺畅，前额自然能长出头发来。

Saturnring：

我妈妈就是那种爱生闷气、有泪往肚子里咽的人，平时不把话说出来，憋在肚子里。四五年前从眼角到嘴角部分开始抽动，这个病是不是和性格有关？

请问，按摩太冲穴是不是对治疗此病有利，还有没有其他相关的穴位？

Jnc：

按摩太冲到行间穴位，常做推腹，遇到肚子上疼的穴位，一定要重点揉开，还可推揉肋骨两缘的肝经穴位，若有疼的阿是穴，重点揉开。多敲胆经和大腿胃经的地方，可以帮助疏泄瘀滞。

Zhanglp：

我刚开始按摩太冲穴时很疼，按摩几次后感到心情好像放松些了。我是从2006年4月开始按摩心包经和敲胆经的，坚持到现在（当然，我根据自己的身体状况增加了胃的按摩和食疗、中药调理），身体、脾气有了很大的改善，不那么容易急了，而且我现在对那些排挤我的人和事情都能保持平静的心情（偶尔想起来也只是有轻微程度的不愉快，但能不去理会）。我就是每天首先按摩太冲穴，而且这个穴位的按摩时间比别的穴位长。

Xixi 问：

我敲胆经快两个月了，这段时间总是凌晨两三点左右会起夜，不管睡前喝没喝水，总觉得颈后凉嗖嗖的，睡觉时只觉得肩颈很凉。不知为什么？

中里巴人答：

若是那种从里往外透着的冷，多数是身体在排寒气。若身体在调整肝经，很多时候会凌晨1点到3点这个时间醒，调整过了就不这样了。

Linlance 问：

请教先生，我晚上睡觉的时候打呼噜非常响，早上起来咳嗽、头痛，好像有带血丝的痰。请问如何减轻打呼噜的症状？

中里巴人答：

带血丝的痰中医通常认为是燥火伤肺引起，若您同时有口干舌燥的症状，就可以吃些养阴清肺的东西。打呼噜多为肺气不宣、痰阻气道引起，气道堵塞则咳嗽，氧气不能上输于头，故头痛。看来都是肺的功能不良引起，所以应从肺论治。而肺气受损通常是肝火过旺造成的，所以临睡时多按摩大脚趾附近的太冲穴，去去肝火，会有很好疗效。

坚持的力量问：

调养身体开始修复，气血升高，出现了肝血增多、肝热、经血黯红、晚上失眠多梦、头脑发胀的现象，白天心浮气躁，甚至出现耳鸣，而按摩肝经、太冲穴、泡热水脚都挺难解决，之后也就不再敲胆经，睡不好，气血更差了。这时能否服用中药来解决问题？因为我和身边一些朋友有时候会被这一现象折腾一两个月。

Jnc 答：

彻底压透大腿内侧的肝经，加压肾经复溜到太溪、心经从肘到腕的部分，特别是神门、肺经的尺泽、鱼际，三焦经的支沟，敏感的多压揉两三分钟。五心烦热、心悸、舌尖红、疼可用牛黄清心丸，睡前服用，心烦、浑身热、出汗、口干、抑郁可用加味逍遥丸。疲劳、眼睛酸、怕光、烦热可用石斛夜光丸或明目地黄丸。

7. 膀胱经——人体最大的排毒通道

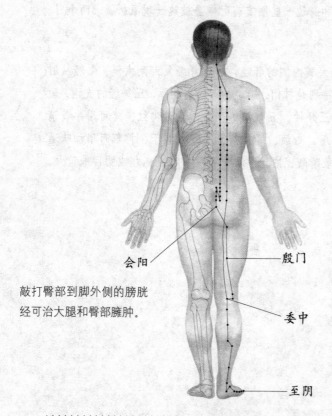

会阳

殷门

委中

至阴

敲打臀部到脚外侧的膀胱
经可治大腿和臀部臃肿。

在臀下殷门穴至委中
穴这段膀胱经至关重
要。因为此处是查看
体内瘀积毒素程度的
重要途径。

> 膀胱经为总的排毒通路，无时不在传输邪毒，而其他排毒通路皆是
> 局部分段进行，且最后也要并归膀胱经。所以欲驱体内之毒，膀胱经必须
> 畅通无阻。

在臀下殷门穴至委中穴这段膀胱经至关重要。因为此处是查看体
内瘀积毒素程度的重要途径，有两条膀胱经通路在此经过，此处聚毒
最多。若聚毒难散，体内必生瘀积肿物；若此处常通，则癌症不生，恶
疾难成。所以此处实安身立命之所，不可不知。

经络是联接五脏六腑和四肢百骸的网线和桥梁，也是我们通过体表来医治内脏的长臂触手。但是穴位众多，如何选取？穴有五行，如何搭配？穴有补泻，如何操作？这些皆是纷杂不清的事情。古人已众说纷纭，今人又各抒己见。若要刻意求根寻源，幽门未入，已堕迷雾之中。所以不如削繁就简、去精取粗，反而容易掌握其要旨。

治病无外乎两条途径：驱其宿毒，培其正气。

一、驱其宿毒

膀胱经乃人体最大的排毒通道，病之轻重深浅皆可在此经查找到端倪。也就是说，病之由浅入深，此为入径之门户；病之由内而发，此为出径之通路，可谓邪毒出入之关隘。知此一经，则排毒之法思过半矣。

有人或问，大肠之排便、毛孔之发汗、脚气之湿毒，气管之痰浊，以及涕泪、痘疹、呕秽，皆为排毒之法，为何略为不谈，独言膀胱经？是因膀胱经为总的排毒通路，无时不在传输邪毒，而其他排毒通路皆是局部分段进行，且最后也要并归膀胱经。所以欲驱体内之毒，膀胱经必须畅通无阻。

膀胱经有个要穴叫"委中"，可泄而不可补，可针而不可灸，何故？此乃泄毒之出口。此穴通常为刺血首选，正是此因。

二、培其正气

"上工治未病而不治已病"，是说好的医生不等到疾病已经形成才去医治，而是防病于未然。如何防患？需随时培补正气，正气充沛则百脉俱通，气血旺盛则邪毒难以在经络中停滞瘀积。"经穴本调何须刺，气血充盈邪无踪。"现在的人往往只知排毒而不知培补，或毒去而复生；或毒邪未去，身体已衰；或正邪僵持难下，旷日难愈。所以祛邪和扶正须协同进行。人之内力须由脏腑而生，经络而传，故脏腑培补法、经络锻炼法最为切要（此二法另章专述），而精通一经一穴之用法倒似是舍本逐末了。

慧心问：

膀胱经就是管撒尿的经吗？

Jnc 答：

膀胱经就好比一个城市形形色色的排污管道，集合各个企业、民宅的污水，最后汇集去膀胱（污水储存站）排出。污水排出也要经过一定处理，这时候肾经及肾脏这个污水处理厂就该工作了。

好学问：

臀下殷门穴至委中穴这段位置的膀胱经好像自己不太好操作，不知道老师有没有什么自我操作的妙招？另外，关于膀胱经的排毒，我的理解是，刮痧效果最佳，其次是拔火罐，对吗？老师您能专门介绍一下拔火罐吗？现在有很多那种真空式的火罐，与以前的明火火罐相比，不知道老师有什么看法？

中里巴人答：

膀胱经殷门穴至委中穴的位置自己确实不好按摩，我过去曾使用过一个小哑铃来敲击这一段，觉得效果不错。但如果是女士，这样敲打的力度可能显得过大了，所以我一直也没有提倡这种方法。至于膀胱经用什么方法排毒最好，其实很不确定，刮痧若出痧很畅，则效果最佳。若不爱出痧，但按揉穴位却很痛，则按摩效果最好。若不出痧，按摩穴位也不痛，则拔罐效果好。拔火罐我比较喜欢真空式的，操作方便，避免烫伤，拔的力度也好调节；而且拔的力度也较传统火罐大很多，走罐、刺血也更为方便。

胖了问：

如果大腿和臀部这段特别臃肿，是不是代表这段膀胱经不通呢？不知有什么简单易行的方法可以帮助打通这段经络？

中里巴人答：

大腿和臀部这段由两条经络来管理——膀胱经和胆经，膀胱经主管代谢水分，胆经负责代谢油脂，如果这两条经络阻塞不通了，体内的水液和油脂代谢不出去，堆积此处便形成赘肉，显得臃肿，所以使这两条经络保持畅通就是您要去做的。您可以经常按摩从臀部到脚外侧这段膀胱经线路，从上到下，按摩时穴位有痛感效果好，通常是越接近足部时痛感越小，所以要反复按摩这条经络。当用指甲轻掐小脚趾外侧的至阴穴痛如针刺时，膀胱经就算是打通了。然后经常按摩，让这条经常保持通畅。

打通胆经的方法您可参照《人体使用手册》中的敲打胆经法（网上可寻）。不但可以使胆经畅通，还可以舒解郁闷。中医认为，身体臃肿肥胖与气郁不舒有密切关系。

金蓉问：

我近两年到12月份后每到下午三四点就很疲倦，几乎合上眼睛就能睡着（晚上9点左右休息），这种情况会维持2个月左右。不知到底是什么原因？

中里巴人答：

冬令之时，寒气最盛，毛孔闭塞，而您应是寒湿体质，外寒而内湿，体表畏寒怕冷，体内湿浊又盛。下午三四点钟乃膀胱经所主，膀胱经此时气旺，外欲排体表之风寒，内欲通水道之湿浊，两相用力，大耗气血。故借调全身气血相助，因而体倦思睡，以保养气血。若果真如此，可在神气充足之时在后背膀胱经刮痧，以赶走风寒，还可在睡足后用取嚏法驱散风寒，同时吃山药薏米粥以健脾祛湿，很快可以痊愈。若与此分析有异，当有一些其他的身体指征可供辨析。

8. 肾经——主管人一生幸福的经络

按摩肾俞、关元两穴后，同时在肾俞、关元、气海等穴拔罐，就等于是一剂十全大补汤。

神阙（肚脐眼）

气海

关元

涌泉

涌泉穴治疗高血压、鼻出血、头目胀痛、哮喘敷药效果最佳。

肾俞
命门

肾俞穴配太溪穴治疗各种原因引起的肾虚最佳，治疗腰痛马上见效。

太溪

太溪穴治肾病引起的腰酸、头晕、掉发、耳鸣、牙齿松动、哮喘、性功能减退、习惯性流产。

复溜

复溜穴可治膀胱炎、阴道炎、前列腺炎和因流产留下的各种后遗症。

> 世人只知鹿茸、枸杞、虫草、紫河车（胎盘）为补肾佳品，岂知太溪、复溜、涌泉才堪称是生命至宝。只是穴位蝇头之地，人皆不以为意，岂知小小孔窍，却能通天彻地，尽藏玄机。有朋友可能会觉得我在虚言夸大，狐疑不信，那就只能是"如人饮水，冷暖自知"了。

肾经，这是一条关乎一个人一生幸福的经络，若想提高生活质量，在身体上从温饱进入小康，那就必须把肾经锻炼强壮。肾是先天之本，也就是一个人生命的本钱，大多来自父母的遗传，也就是祖上的"遗产"。如果没有先天的厚赠，那就真的太需要后天的培补了；否则，人过中年便注定要每况愈下，衰老之态势不可挡。身体需要运动，经络更需要锻炼，经络是修复身体器官损伤的无形触手和忠实保镖。我们人体的器官就像天天运转的机器，是很容易磨损的；但是只要我们经常保养它，时时除垢润滑，那么我们仍然能够日久弥新，甚至脱胎换骨。因为我们改变了遗传留给我们身体发展的惯性轨道，激发了每个人身心固有的巨大潜能，大自然赐予了我们每个人强大的自愈能力，就看我们有没有这个机缘去挖掘和把握了。

这里主要讲肾经的3个穴——太溪、复溜、涌泉。你可别小看这3个穴，它们个个都是身怀绝技。

先说太溪，位于脚内踝后三厘米凹陷中，这个穴说白了就是一个大补穴，凡是肾虚引起的各种症状，如腰酸、头晕、耳鸣、脱发、牙齿松动、哮喘，还有男人们最担心的性功能减退以及妇女们的习惯性流产，都可通过刺激这个穴看到明显的效果。

我认识的一个女性朋友，才30出头，却患了难言之隐，总是憋不住尿，不敢跑，不敢大笑，甚至不敢咳嗽，因为只要稍有大的身体活动就会发生状况。她是一家外企公司的职员，人也长得漂亮，但就是这个病患使她非常自卑，同事们的聚会她从不参加，甚至不敢交男朋友。人们觉得她性情孤傲，也都对她敬而远之。她断断续续吃了3年的汤药，竟无显效。我看了这些方子，都对症，都是固涩缩尿补肾的方子，只是因为她脾胃虚寒，药物在脾胃被阻隔，无法真正被吸收，所以不能收到补肾缩尿的功效。我让她在后背肾俞位置左右各拔一个真空罐，同时按揉左右的太溪穴10分钟。每天如此，10天后她来电话说，肾俞穴在拔到第8天时出了大水疱，就没敢再拔，而且太溪穴已经揉得痛不可摸了。我对她说，这一切证明她肾脏的功能已经得到了很大的加强，可以暂时休息，让身体自己去调节。又过了一周，她兴高采烈地来到我家，告诉我她的遗尿已经彻底好了。其实用肾俞配太溪来治疗各种原因引起的肾虚都是最佳的配伍，尤其对于肾虚腰痛马上可以见效。用穴位补肾，躲过了胃肠吸收这道关，所以不会有虚不受补的情况，而且补得直接、迅速。

再说说复溜穴。"复溜"就是让血液重新流动起来的意思，在太溪穴直上两厘米处。这穴位治疗瘀血和炎症效果最好，所以什么膀胱炎、阴道炎、前列腺炎等，以及因流产留下的后遗症，都可以选择此穴。有针灸专家称针刺此穴滋肾阴的效果极好，相当于六味地黄丸的功效，所以怕热口干、夜间烦躁难眠的患者又多了件宝贝。

涌泉穴，相当于足底疗法的肾上腺反射区，自古就有临睡搓脚心百次可延年益寿的说法。其最实用的功效是在于此穴能引气血下行，可以治疗高血压、鼻出血、头目胀痛、哮喘等气血上逆的症状。此穴敷药效果最好。比如高血压患者可取中药吴茱萸25克研末，醋调成糊状，睡前敷于两脚心涌泉穴，用纱布包裹。通常20小时左右血压开始下降，且有持续效果。重症者可多用几次（平日配合金鸡独立法效果更佳）。鼻出血则敷大蒜泥，左侧流血敷左脚心，右侧流血敷右脚心，两鼻孔俱出血俱贴之，有立即止血之效。此法还可醒神通窍，以治疗慢性鼻炎（有专家建议此穴不宜艾灸，可作为参考）。此穴若只想用按摩法，则有个前提，就是稍用力此穴即痛感明显者适宜。若使很大力而痛感不显，或此穴处皮肤无弹性，一按便深陷不起的，不可用按摩法（会使肾气更为虚弱），可选用敷药法。

太溪、复溜两穴用按摩法效果很好，也无禁忌，常相配而用，哪个穴位敏感就先揉哪个穴，然后再把不敏感的穴也揉敏感了，有病治病，无病强身。若同时在肾俞、关元、气海等穴拔罐，那就真成了一剂安全平和的十全大补汤了。世人只知鹿茸、枸杞、虫草、河车（胎盘）为补肾佳品，岂知太溪、复溜、涌泉才堪称是生命至宝。只是穴位蝇头之地，人皆不以为意，岂知小小孔窍，却能通天彻地，尽藏玄机。有朋友可能会觉得我在虚言夸大，狐疑不信，那就只能是"如人饮水，冷暖自知"了。

求医录

老小伙问：

小便多和尿频是不是一个概念？

中里巴人答：

尿频而少脾肾虚，当用芡实莫迟疑。若是尿少腿足肿，薏米山药最相宜。山药芡实皆兄弟，健脾去湿可相替。若问共用功效何，一试便知莫迟疑。

爱中医问：

我丈夫（53岁）患有肾囊肿（大约有枣这样大了，在右侧）已有三四年的时间了，我该怎样给他治疗？

中里巴人答：

采用保守的方法治疗肾囊肿，我觉得您最容易掌握的莫如足底按摩疗法了，只要清楚肾脏反射区、淋巴反射区等几个简单的区域，然后一以贯之地去操作就行了。至于疗效，因个人体质和操作水平而有差别，但确实不失为一种简单易行而又有疗效的方法。

gxhzzmh 问：

我给儿子在肾俞的地方拔了罐，我是这样拔的：每边大概拔半分钟，然后松开，再拔，如此反复五六次。在拔第一个罐的时候，右边马上有一点黑，左边不是很明显；到全部拔完停止时，两边都黑了。请问这样拔正确吗？

中里巴人答:

您给孩子拔罐拔出了黑印,已经初见成效了,下次拔时可时间略长,约3分钟。拔的同时按摩复溜、太溪两穴,哪个痛得明显先按哪个穴。还有,一定要练补肾功法,见效快。动作是两臂交叉从脑后向两侧分开,两手始终不交叉。用力点一定要在腰和脚掌。还有可以给孩子吃山药芡实粥,也是打粉后熬粥,1:1的量。这个对遗尿效果很好。芡实也叫鸡头米,药店都有。

爱子问:

我儿子11岁半了,从两岁开始一直遗尿,每天晚上要叫三到四次,很难叫醒,平时很容易感冒、咳嗽,如果一吃药,尿得就更加厉害,这么多年来一直都在治疗,中药吃了不少,专门的遗尿症专科也看了4个,但总不见好。腰板总直不起来,像个小老头似的,穿着背背佳腰板还是不直;总是用手摁揉头发,摁的地方头发都没了;挑食。看了您的文章说在肾俞拔罐有益,我想问,每一次拔罐要拔多久,要不要拔出红印来?还有,我很用力地按他的涌泉穴也不痛,请问如果敷药,是用什么药?老师,我儿子的遗尿有救吗?

中里巴人答:

有救,孩子有肾亏,就揉太溪,别揉涌泉,涌泉较为泻,太溪则偏补。至于驼背,首先要纠正他的习惯,其次要查一下缺钙锌否,还有就是每天用掌根将后脊从头到尾按揉一下。在肾俞拔罐效果很好,只是拔的时间太长会出水疱,要小心一些;其实拔出水疱效果最好,只是一般人都怕感染,所以也就不提倡了。还可在整个脊柱都拔上罐,对驼背的治疗很有效。

这是一个改善体质的过程,也不是一两天的事,但若按此方法,3周可有显效。

llue 问：

我用手按三阴交有疼痛感是什么原因？向里折左手中指第二关节感觉出牵动心脏疼痛又是为何？为什么手握拳顶腰眼处会有疼痛感？

中里巴人答：

您有些轻微的气血瘀滞。可揉揉心包经，点按三阴交活血化瘀效果也很好。腰眼痛可按摩复溜穴（肾经）。

宝宝问：

老师好！根据您对复溜穴的描述，如果经血淋漓不尽，按摩这里应该是很好的吧？在经期可按摩这些穴位吗？

中里巴人答：

月经淋漓不尽，很可能是脾不统血造成，最宜用三七粉和八珍颗粒一起服用。同时艾灸脾经隐白穴，平日常吃大红枣也很有效。复溜更适合月经不通畅的血瘀症。还有一种流产后的淋漓不尽，是瘀血造成的，用复溜较为适宜，但若与前两味药合用，则更为稳妥。

9. 天天敲打胃经和大肠经是预防衰老的秘方

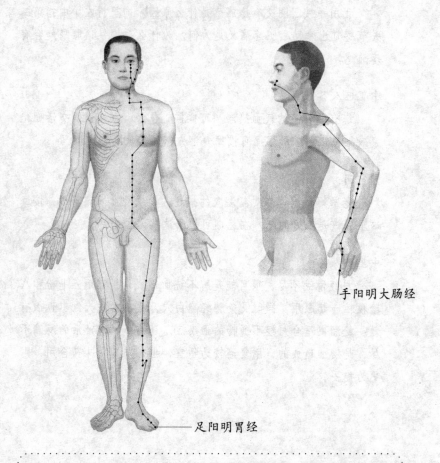

手阳明大肠经

足阳明胃经

·脖子上的皮肤松弛了，影响美观，只要坚持敲打大肠经和胃经，很快就有惊人的改观。

·敲头与梳头，经过这样的"推敲"后，何愁头发不浓密与黑呢？

·照我这样去做，脸上怎会还生"斑"和"痘"！

前日与几个作家朋友在一起小聚，这些墨客们都是李太白的后人，酒后妄语狂言，不醉不解春风。我有医者身份挡架，得以浅尝小酌，独醒旁观。有位谢顶的兄台，酒已半酣，搂着我的肩膀向我边敬酒边说："郑老师，您看我，比您还小两岁，可人家说我像50多岁的，老婆都快不要我了，您得救救兄弟呀！"说得大家哄堂而笑。这时，这里最年轻的作家张女士向我问道："郑老师，我每天都熬夜赶稿子，人家说我最近老多了，您有没有什么美容秘法呀？"这是个眼睛大大的、很漂亮的女孩，只是面色有些灰暗。我随口道："我有什么好方法，你们就少喝酒、多睡觉呗！"大家对我的回答都摇头不满："郑老师不实在，我看您天天半夜在博客上发表文章，可还是满面红光地坐在这儿，肯定有什么妙方，却让我们早睡早起！"一句话说得我哑口无言。说实话，夜里写文章也是迫不得已，白天事务繁忙杂乱，也就晚上安静闲暇，但正如吴清忠先生所说，夜里是人体长气血、积蓄能量的宝贵时间，什么功法都无法替代正常的睡眠。我于是对大家说："我现在也是在挥霍过去积蓄的储备，哪天用光了，也会衰老得很快。"

他们都不信，有人还从皮包里拿出了藿香正气水和大山楂丸给我看："郑老师，这是您推荐我们用的解酒药，还真管用，我们现在比原来更能喝了。"一句话说得我是哭笑不得，我脱口说道："真是治得了病，治不了命呀！"这时，这里最年长的罗大哥说话了："郑老师，您算说对了，医者只管治病，至于命，那不是医生所掌握的，而是老天所控制的。老天让我们几位成为文化人，我们要出好的作品，那就得有激情，那就得放浪形骸、无所顾忌。如果整天为了保持身体的健康，日出而作，日落而息，循规蹈矩平淡一生，只是生活了一天，重复了3万次，尽管活过百岁，无疾而终，那又有什么意思呢？我宁愿大喜大悲地只活它100天！"他说这话时神采飞扬，不愧是作家，谬论都能说得铿锵有力。我虽不赞同，却也无话反驳。

他又说："所以，郑老师，您作为医者，能让大家的命运因您而更加精彩，那就是功德无量了。"我这人禁不住别人忽悠，一听"功德无量"，似乎很神圣，好像已经修成了正果，于是赶紧献出预防衰老的秘方。其实只是两个很简单的小功法，我即使真告诉大家，也不见得能有几个人坚持做，只是图个心理安慰罢了。

这就是我的美容秘方。

敲头与梳头：用10根手指肚敲击整个头部，从前发际到后发际。反复敲击两分钟，然后用10根手指肚梳头两分钟，也是从前发际到后发际（一定不能用指甲）。头上的经络众多，有膀胱经、胆经、三焦经、胃经，穴位则有好几十个。敲、梳以后，通常可以看到满指油污，这是头皮内的污浊从穴位和毛孔排出了。如果想加强疗效，可以用手掌将两耳堵住，用双手食指和中指弹拨后脑，这在古书中叫作"鸣天鼓"，最能怡神健脑。经过这番"推敲"，经络无阻，血管畅通，何愁头发不浓密乌黑呢？

面部皮肤的保养：先用10根手指肚轻轻敲击整个面部，额头、眉骨、鼻子、颧骨、下巴要重点敲击。再用左手掌轻轻拍打颈部右前方，右手掌拍打颈部左前方（手法一定要轻）。然后右手攥空拳敲打左臂大肠经（大肠经很好找，只要把左手自然下垂，右手过来敲左臂，一敲就是大肠经）。最后换过来左手攥空拳再敲打右臂，每边各敲打一分钟（从上臂到手腕，整条经都要敲）。敲打大肠经是因为这条经直通面部两颊和鼻翼，可以有效防止这些部位长斑生痘。

此外，还有一条更重要的经络——胃经，也要敲打。从锁骨下，顺两乳，过腹部，到两腿正面，一直敲到脚踝，胃经敲打可稍用力。面部的供血主要靠胃经，所以颜面的光泽、皮肤的弹性都由胃经供血是否充足所决定。有人脖子上的皮肤松皱了，影响美观，其实这不过是胃经的气血亏虚造成的。只要坚持敲打大肠经和胃经，很快就会有惊人的改观。

我将这些功法给这些天天趴在电脑前的"灵魂的疯子们"一一演示，他们都高兴得手舞足蹈，尤其是两位女作家更是欢天喜地。我也似乎被这种情景所感染，本来没喝多少酒的，却不知为何醉意朦胧了。

■ 求医录 ■

盼盼问：

　　我38岁开始闭经，现40岁。约32岁开始月经不调，可能是那几年工作压力大，经常加班加点，又得了一次急性胃肠炎，拉肚子20多天，搞得身体很虚弱。几年来我一直在中医治疗，可身体还是越来越差，37岁那年来月经大出血，来了近一个月，以后就3个月才来一次月经，这样过了一年多就闭经了。在一个教授处看病，做了一个雌激素检查，看了结果后教授说我不大可能再来月经了。听说女人没有了月经很快就会老，我不想这么快老，中里巴人老师，您认为我还能恢复月经吗？有什么办法可以治好？老中医说我五脏俱虚，要大补，但一吃补药我就上火，我吃红枣、阿胶口服液等都会上火，连一点煎炸食品都不能吃。我经常头晕、失眠、气促、脸色暗黄。看了老师这篇文章，我想我可能是肾虚，这两天试了一下在肾俞拔空罐及按摩太溪穴，另外早晚吃补中益气丸各10颗。老师我这样做对不对？不知还有什么治疗方法？补充一下，我还有颈椎病、腰痛（隐隐疼的那种）、尿频、眼睛胀疼干涩、有时会耳鸣等毛病。

中里巴人答：

　　听您所说，气血双亏是肯定的，但吃补药或食品会上火，火有虚火和实火之分，有的是气足过多而生火，有的则因为阴亏而产生虚火。如果吃东西还生火，很可能是虚，还伴随经络有阻塞不通的地方，所以造成补不进去。您可以在饮食调节的同时做一些拔罐与刮痧，主要针对膀胱经、心包经、胆经等，特别是脖子部分的经络。如果刮不出来痧，说明您气血太亏，还是先在膀胱经拔罐为主，拔到有瘀紫为好。可能开始拔不出来，不用管，和敲胆经一样，一周拔2~3次，隔日做（如果有瘀紫要等消失后再做）。如果可以吃牛肉，就吃清炖牛肉，一顿一小碗，一天2次，吃一个月，再配上山楂丸。再常吃些山药芡实粥。坚持早睡，有个停经的病例是晚上7点就睡觉，一直坚持了两三个月，月经才恢复的。

您一定首先要放松心情，这比吃药更重要。从您的症状看，您是属于脾肾两虚、肝火又旺的人，如果经常口干想喝水，可以吃点明目地黄丸、石斛夜光丸，若不爱喝水，小便又少则不能吃。若畏寒怕冷，不想喝水，可服用强肾片、桂附地黄丸。想通月经，必须先使气血充足才行。红糖山楂水活血通经效果很好，又很平和，若身体不是过于燥热还可加上三七粉同服，疗效更佳，若能再将肾经的太溪、复溜经常按摩，我想您一定会很快找回健康的感觉。

米堆问：

我今年27岁，最近左脚前脚掌很疼，一般的走路都会疼，且蹲下后再站起来左膝盖也会很疼且没有力气。不知道这是什么原因？

中里巴人答：

后脚跟痛多为肾虚，前脚掌痛通常为胃经气血不足、血不下行所致。可在腿部整条胃经拔罐或刮痧，并练习跪在稍硬的床上走，还可在左手中指根下一寸范围内寻找痛点按摩。对脚上的痛点尽量不去直接按摩，在丰隆穴针灸也有特效。

10. 按摩脾经治大病

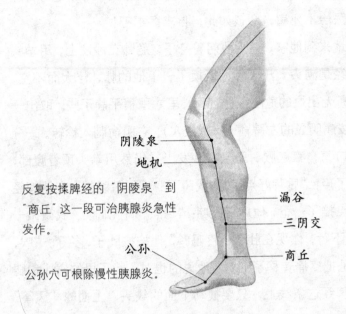

阴陵泉
地机

反复按揉脾经的"阴陵泉"到
"商丘"这一段可治胰腺炎急性
发作。

漏谷

三阴交

公孙

商丘

公孙穴可根除慢性胰腺炎。

> 我的这些朋友们都管我叫救火队队长，意思是能治急病，可这帮家伙却天天在放火。就像这位朋友，本来就有胰腺炎，可还是每日应酬不断，唉，医治不死病，命该如此，自求多福吧！

　　难得周末闲暇，夫人非要我熬夜陪她看无聊的韩剧。唉！只要老婆高兴，我也就以苦为乐了。老婆正看得动情，忽然家里电话响了起来。谁半夜三更的还来电话，老婆颇为不满。原来是我一位做生意的朋友，说自己的胰腺炎犯了，疼得要命，让我赶快去一趟。急性胰腺炎？那可是能要命的，我让他赶快上医院。他却说："我明天一早的飞机，不能耽误，几百万的生意呢。老兄，救命如救火，你在家等着，我的司机马上就到你家。"

　　我的这些朋友们都管我叫救火队队长，意思是能治急病，可这帮家伙却天天在放火。就像这位朋友，本来就有胰腺炎，可还是每日应酬不断。唉，医治不死病，命该如此，自求多福吧！

　　风风火火地来到他家，只见他躬着身子，跪卧在沙发上，用拳头顶着腹部，已经是满头大汗了。大概摸了一下他的脉，浮大而不空，急滑而不乱，断无出血的危险征兆，我心里才稍稍平静了些。取出一寸毫针，在他按痛明显的左脾俞（膀胱经穴）、右胆俞刺入捻转。一分钟后他长出了口气，直起腰，正坐在沙发上，仍然用拳头顶着腹部，有气无力地说了声："后背好点了。"我蹲下身，隔着睡裤，在他脾经的地机穴用力点掐了一下，他疼得大叫："轻点，哥儿们！"我微微一笑："这叫引血下行，你现在肚子还疼吗？"他按按肚子，笑了："唉，是好多了，你是把疼痛转移了吧？"他说的也对，肚子里的病灶和腿上的痛点都在脾经这条线上，只要拽动下面的线头，上面的"风筝"也就随我控制了。

　　我反复按揉脾经"阴陵泉"到"商丘"这一段，将最痛点"地机"的痛分散到其他几个穴位，揉了足有20分钟，小腿上脾经的穴位都不痛了，这时这位老弟已经坐直了身子，和我开上了玩笑。"老兄，你这变戏法呢，我这疼都哪去了？"但他还有些担心，"会不会明天还犯呀？"我说："那可说不准。"他马上又哭丧着脸说："别呀，老兄，您救人救到底呀！"我让他伸出舌头看看，只见他舌苔黄腻，舌质暗紫，且有些发蓝。此乃痰瘀互结之象，病虽不危重却也不是一日可除。于是在他的左腿丰隆穴直刺一针，以化痰散结，另外让其自行按摩双脚脾经的公孙穴（公孙穴乃脾经络穴，久病入络，他的慢性胰腺炎要想除根，络穴公孙必不可少）。我对他说，犯不犯病，就看你这个穴揉得认真不认真了。他向我举手敬礼道："保证完成任务。"

一小时后，他将我送出家门，搂着我的肩膀说："兄弟这100多斤以后可全交在老兄手里了，等我回来请您喝酒。"唉，还是老一套！

这真是"医病医心难医命，顾利顾名不顾身"。可这就是生活，古来如此，谁又能改变呢？

求医录

英儿问：

老师能解释一下"祛病需脾胃先行"吗？为什么？怎么做呢？

Jnc 答：

脾胃是人体的能量之源头，和家电没电啥都干不了一样！脾胃管着能量的吸收和分配，脾胃不好，人体电能就乏，电压低，很多费电的器官都要省电、节省，导致代谢减慢，工作效率降低或干脆临时停工。五脏六腑都不能好好工作，短期还可以用蓄电池的能源，透支肝火，长期下去就不够用了，疾病就出来了。由此看来，养好后天的脾胃发电厂有多么重要！

sweet_windy 问：

请问，我吃大枣是吃生的还是晒干的？要连皮一起吃吗？

还有，我在按摩阴陵泉和三阴交穴位时都感觉很痛，是说明有什么问题？

中里巴人答：

生枣通气通便，干枣养血通便，您可根据个人喜好选择。连皮吃通便力强，但有些人不喜欢吃皮，不吃也罢。阴陵泉和三阴交都很痛，表明您的脾经在积极工作，您吃大枣对它们可是有力的支持。

sweet_windy 问：

您的方法真灵，今早早餐后大枣我才刚吃一次，10颗，半个小时后腹痛如绞，然后如厕了3趟，先硬后稀。想问您，为什么会在便前腹痛那么厉害呢？

中里巴人答：

大便前腹痛，是气血冲击肠壁污浊的反映，痛得越厉害，冲击的力度就越强，排出的宿便就越多，您也越会觉得大便顺畅且排得有力。这证明您的脾的运化功能已经有所加强了。继续吃枣按摩，保持住这种良好的势头。但气血有个积聚的过程，不是总能这样旺盛的。

如何养胃问：

体检没有什么大毛病，也比较能吃，但是胃不太好，冬天会有胃的反应，关键是人比较消瘦，怎么吃都不能结实增重（和其他女孩子相反）。

另外，因为公司上班的缘故，经常午饭、晚饭都在外吃，油水肯定没有家里干净。请问如何保健自己，如何养胃，如何增强体质和体重？

中里巴人答：

你一定脾胃不太好，可以从推腹法做起，每天敲胃经与胆经。先把这两条重要经络收拾利落了，使脾胃气血充盈，有能力吸收营养才可能身体好起来。此外每天练习一下"激情玫瑰"里的补肾法。若有月经问题，可以参考调理月经的文章。平时饮食常喝山药粥，吃清炖牛肉配山楂丸，多吃桂圆、红枣，早睡早起，过一段日子必定有收获。

11. 心经生死攸关

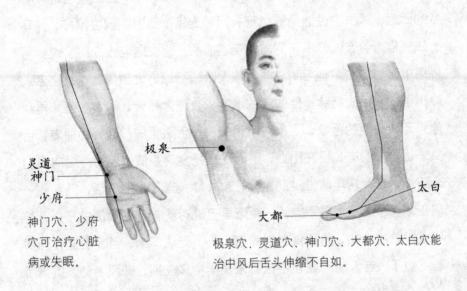

灵道
神门
少府

神门穴、少府
穴可治疗心脏
病或失眠。

极泉

大都

太白

极泉穴、灵道穴、神门穴、大都穴、太白穴能
治中风后舌头伸缩不自如。

> 人的情志不可拂逆，而应抒其所欲发，这样才能气顺痰消。

有位在中医院针灸科当主任的网友来信与我交流，说临床几十年，对心经的功效仍然认识不足，除了常用神门、少府来治疗心脏病或失眠等，不知还有什么功效。他的问题使我想起了令我很得意的一件往事。

前年的春天，我去新加坡旅游，暂住在好友杰森家里。那天晚上正在喝茶聊天，杰森突然接到一个电话，说他的一个英国朋友突然病重，不能说话了，他得过去看看，并请我一起过去帮忙给诊诊。路上杰森对我说，这个英国朋友很喜欢中国文化，经常和他一起聊天，已经75岁了，是个忘年交。

来到那个英国朋友的家，老人正斜靠在沙发上，两目有神，看着并不像有病的样子。他的私人医生已经来了半天了，据说是当地最有名的西医。那医生说他是脑血管有问题，建议他回英国去治疗，并马上住院检查。老人似乎不同意，连连摇头。朋友向老人介绍，说我可以用中医的方法帮他看看，老人睁大眼睛很惊奇地望着我。我让老人伸出手来，帮他把脉，他的脉弦滑有力，弦为肝火，滑为痰盛。再让他张开嘴看他的舌象，老人张嘴很费力，舌头歪向一边，卷曲着，舌头一边已被咬破，还在出血，里面还尽是食物残渣。他的侍者向我们介绍说，老人几年前得过脑血栓，左手臂一直不是很灵活，但其他一切正常。昨天晚上喝了点酒，今天早上说话就有点不太清楚了，尤其吃饭时总咬舌头，而且食物都糊在舌头上无法下咽，到晚上连张开嘴都吃力了。老人的问题在中医看来属于中风先期，肝风内动，痰蒙清窍，心脉瘀阻。舌通心脉，"舌乃心之苗"，故舌头的症状最多。

老人身体壮实，本可直接用安宫牛黄丸化痰熄风，但手边无药，我的针灸用具也没带在身边，便提出用汤勺为老人刮痧。我把我的思路一说，杰森用英语一翻译，那个西医大夫连连说"No"，并显出气愤的样子。而那个英国老人却露出欣喜的表情，频频点头。西医大夫最终铁青着脸，坐在旁边的沙发上，不再说话了。我在老人家的厨房搜寻了一番，找到了一把做工精致的、可能是盛饭用的小木铲，又找来了一瓶橄榄油。我让老人脱掉外衣露出左臂。老人的肌肉很结实，我顺着左臂的心经刮了起来，从极泉穴开始。那个小木铲很好使，比我在国内用的刮痧板还顺手，边刮我边问："感觉怎样？"老人露出惊喜的表情，还时不时地点点头，好像正在欣赏一首美妙的曲子。痧出得很畅，不一会儿心经已经变成了一条黑紫的线条，像是被人重重地打伤了一样。那位西医大夫惶恐得坐立不安，总让我轻一点、轻一点。

刮了大约十几分钟，当刮到手腕的灵道穴时，老人突然剧烈咳嗽了一阵，吐出了两口暗黄色的浓痰，然后向我挑起大指，清晰地用英语说了句"太奇妙了"。我接着又在老人的神门穴点按一分钟，以泻心经之余火，同时用另一手在脾经的大都穴按揉，以接引心经气血，最后掐点太白穴一分钟，把肝火之多余能量尽转于脾经储存，不致白白泻掉。治疗共30分钟，再让老人吐舌头，已经伸缩自如、归位如初了。

老人高兴极了，大踏步地在屋里走来走去，然后亲自去他的储藏室拿来一瓶酒，据说是他家珍藏的法国香槟，已经有150多年的历史，非要大家同饮一杯。他的医生又忙站起身劝阻，并也示意让我阻拦，说他得这病就是因酒而起，怎能再喝酒呢？我却欣然地对老人点点头表示同意，因为我清楚，老人属肝气旺、痰火盛的体质，起先喝酒，酒性热而升散，一时痰火阻滞心经造成中风，而此时痰结已开，肝火已散，心脉正盛，喝点酒正好能温经通脉、祛滞散瘀，且人的情志不可拂逆，而应抒其所欲发，这样才能气顺痰消，尤其像老人这种刚直性格更是如此。

仔细品尝着他的家传宝贝，淡而悠香，但并未觉得有何特别之处，老人却很得意地显出酣畅的样子。虽然这百年佳酿给我这不懂酒的人喝是浪费了，但我的心里充满了欣喜和自豪，我想这更是一种陶醉吧！

看来外国人的心经和我们的毫无分别，真盼望我们的中医国粹哪一天也能像法国的人头马一样驰骋世界，香飘全球！

■ 求医录 ■■■■■■■■■■■■■■■■■■■■■■■■

Deven 问：

　　有哪些穴位是给心脏供血的呢？

中里巴人答：

　　穴位取太冲、劳宫、太白、足三里、厥阴俞、心俞、膻中。足底反射区有：腹部神经丛、肝区、心脏反射区、肾上腺。临症随意取，如穴位无酸无痛，则不揉此穴。

12. 胆经——排解积虑的通道

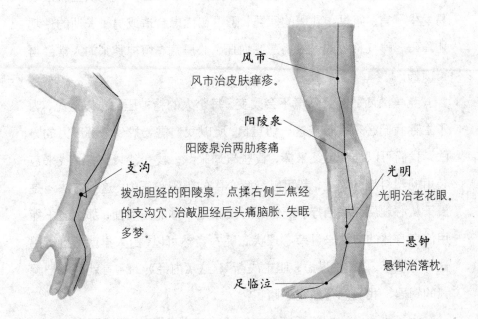

风市
风市治皮肤痒疹。

阳陵泉
阳陵泉治两肋疼痛

支沟
拨动胆经的阳陵泉，点揉右侧三焦经的支沟穴，治敲胆经后头痛脑胀、失眠多梦。

光明
光明治老花眼。

悬钟
悬钟治落枕。

足临泣

> 人似乎很难从忧虑、恐惧、犹豫不决的惯性中挣脱出来，很难让身心经常保持一致。我们若能顺随肝胆的习性，该谋虑时谋虑，该决断时决断。那么，我们的肝胆必定会日益强壮而没有无谓的损耗，身心也会健康快乐。但毕竟思想的障碍很难清除，非一日可以改变，不如我们就先来按摩太冲穴，然后敲胆经，通过改善身体来修正思想，然后慢慢地觉悟，一样可以达到健康快乐的彼岸。我深知，最有效的方法必须是最简单的。

《黄帝内经》中说："肝者，将军之官，谋虑出焉，胆者，中正之官，决断出焉。"这句话是说，肝是个大将军，每日运筹帷幄，制订周密的作战计划，胆则是一个刚直不阿的先锋官，随时准备采取行动。我们现代人的一大特点就是用脑过度，思虑太多，精神负担沉重，心理压力超载。心理层面的东西似乎无法用生理的功能来调节，我们似乎只能求救于心理医生。其实不然，身心本是一体，须臾不曾相离，有哪些心理问题必产生相应的生理病变，如经常生闷气的女士就很容易发生子宫、卵巢和乳房的问题，恐惧和忧虑会造成男子长期的性功能障碍，脾气急躁的人最易患高血压、心脏病，精神紧张的人常会得胃溃疡。

竞争激烈的社会环境不会改变，每个人的精神压力难以避免，为了生存我们必须去承受这一切重负，所以我们需要找到舒解压力的方法。我们可以找些废纸来撕，找些气球来踩，找个沙袋来打，找来包装用的塑料泡泡来捏，都可以舒解心中的郁闷和压力。这些方法还是属于从心理层面去治疗。既然身心就像是手掌的正反面，那么能不能用治疗身体的方法来调节心理状态呢？当然可以，古人早就懂得运用这种方法了。"肝主谋虑，胆主决断"，这《内经》的名言就是一把解锁的钥匙，我们怎可熟视无睹呢？

为了生存，我们每天都会有很多的"谋虑"，为工作而谋，为前途而谋，为人际关系而谋，为生意而虑，为孩子而虑，为健康而虑，为情感的纠葛而虑。如果我们谋虑的事情能够被"决断"，并得以顺利地贯彻执行，也就是心想事成，那自然会气血通畅、肝胆条达了。但是，现实生活中的诸般事情难尽人意，多是壮志难酬、事与愿违的，所以，我们会有很多谋虑积压在肝而没有让胆去决断执行，肝胆的通道便造成了阻塞。由于情志被压抑，肝胆的消化功能、供血功能、解毒功能都受到严重影响，人体就会百病丛生。中医讲"百病从气生"，而气就是所愿不遂、心里矛盾冲突的直接原因。如我们不喜欢自己的工作但为了生存必须坚持，不喜欢自己的老板却要加班加点为他卖命，心里是切齿咒骂表面却笑脸逢迎，明明想拒绝他的无理而言辞却纵容他的恶意，结果我们每天都会在谋虑、决断中自相拼杀，大耗气血。所以，那些多疑善虑、胆小易惊的人，以及那些情志异常、精神错乱的病症，都应该好好地去调节肝胆的功能。

如何去改善肝胆的功能呢？最简单有效的方法就是吴清忠先生和陈玉琴老师提倡的敲胆经健身法，此法真可谓是造福大众的妙法奇方。因肝胆是表里相通的脏腑，肝经的浊气毒素会排泄到胆经以缓解其自身的压力。胆经因为承受了大量的肝毒，很容易瘀滞堵塞，进而影响到肝脏的毒素也无路可排，所以胆经需要经常加以疏通。敲胆经是增加了胆经的气血流量，及时缓解了肝脏的压力，从情志上讲它也会大大提高人决断的能力，让人更加自信、更加果敢。

胆经为足少阳经，为半表半里之经，与外界并无直接的通道，所以其浊气须借肠道而出。有人敲胆经后排气多了，大便也色深味重了，便是肝胆之毒素从肠道而出了。也有些人敲完胆经后头痛脑胀、失眠多梦，这多是因胆经之浊气没能从肠道及时排出，而循同名经手少阳三焦经上于头面所致。这时只要拨动胆经的阳陵泉，让电麻的感觉传导到脚趾，同时点揉右侧三焦经的支沟穴，不适症状都会明显改善。

说到胆经，还有许多特效的穴位：风市可治各种皮肤痒疹，阳陵泉治两肋疼痛，光明可治老花眼，悬钟治落枕，足临泣治眩晕。胆经的穴位都气感明显而强烈，如能善加利用，都有极为显著的效果。

一般人似乎很难从忧虑、恐惧、犹豫不决的惯性中挣脱出来，很难让身心经常保持一致。我们若能顺随肝胆的习性，该谋虑时谋虑，该决断时决断，那么，我们的肝胆必定会日益强壮而没有无谓的损耗，身心也会健康快乐。但毕竟思想的障碍很难清除，非一日可以改变，不如我们就先来按摩太冲穴，然后敲胆经，通过改善身体来修正思想，然后慢慢地觉悟，一样可以达到健康快乐的彼岸。我深知，最有效的方法必须是最简单的。

■ **求医录** ■

胆小问：

做了胆囊切除手术的人敲胆经还有意义吗？

Jnc 答：

胆囊切除者敲胆经当然有意义，因为有这类问题的朋友原先多是由于胆汁分泌通道不畅通或胆囊收缩乏力等原因造成胆汁瘀积，由此产生的结石或胆囊炎、胆石病。这些发病原因多数起源于胆经的瘀滞和不畅通。胆囊只是胆经管理的一个小小的囊性容器，它的工作状态好坏受胆经的支配。若胆经瘀滞，气血不足或不畅通，虽然胆囊切除了，可造成这一问题的体质内环境并没有多大改观，并且因为胆囊这个储存胆汁的容器（西医的概念）没有了，肝脏分泌的胆汁没地方存，更会造成消化不好。因为胆汁随出随流掉了，这也更容易加重脾胃虚弱。消化不良、腹胀腹泻是常事。敲胆经可以疏通胆经的瘀滞，更可以调节肝经及肝脏的胆汁分泌，保持肝胆表里经络的畅通，避免气血在此瘀滞而引发的脏器工作不良；预防手术后胆总管发炎及结石，整体调理消化吸收营养（脾胃）的功能。同时通过推腹法、敲胃经等方法，可协助改善体质，摆脱再次出现结石的烦恼。

小星问：

请问老师，我前段时间开始敲胆经，刚开始觉得特别有效，我夜里经常失眠，敲了以后马上就睡得很好，但是过了段时间似乎作用不那么明显了，又开始失眠睡不着了，是怎么回事呢？心态都跟以前差不多，且听了老师的话，修养身心，很少生气了，不知道是不是像减肥一样，是什么"平台期"？

Jnc 答：

一定要配合按心包经和肝经的太冲。敲胆经可以调理肝胆，但若线路有瘀滞就会火旺，配合按摩那两个经络，可以保持经络顺接畅通。而且23点到凌晨1点不要敲胆经，容易导致肝火大而失眠。

Lucyxiaoyun 问：

我42岁，女性，一直以来有纤维瘤，吃中药后纤维瘤基本不见，但体检时还是说小叶增生较厉害，却没有让我吃药，我也没感觉任何不适。现在我睡、吃都好，拉的问题不太顺，身体中部较其他部位肥，最烦的是白天痰很多，吃完饭后更是觉得痰旺得厉害，不知是啥原因？

中里巴人答：

中医讲"气郁生痰"、"脾虚生痰"、"治痰先治气，气顺痰自消"，纤维瘤在中医看来也是痰浊流注经络造成的，所以您的问题只在"痰"、"气"二字上，应该是脾虚造成，可用启脾丸、参苓白术丸等健脾祛湿，平日少吃猪肉、肥鸡、牛奶、甜食、茶饮、酒类等助湿生痰之物，不过多饮水。在吃完较多肉食后可服用大山楂丸来避免肉食生痰。若平日再喝点山药薏米粥，腹胀、大便不爽时吃点加味保和丸，定会有很大的改善。但从根源上看，还是要解散肝胆郁结之气，阻断生痰之源。逍遥丸、越鞠丸等也可参酌应用。当然，精神状态的调整也重要。

难受问：

我每天都会利用去洗手间的机会敲敲胆经、胃经，中午吃饭也常常吃些海鱼、虾、牛肉等，但是最近蔬菜吃得有点少。近一个月来，已经有好几次晚上睡觉热醒，被子盖不住，口渴，每次醒来都是一两点钟，而且醒后就睡得很浅了。白天还常感觉眼睛周围很热，看电脑很容易疲劳，心脏部位发紧。使劲按摩劳宫和内关后，感觉稍微轻松一点。去看了中医，开了杞菊地黄丸，吃了后觉得大便很粘腻，晚上睡眠还是很不好。今天凌晨一点醒来，白天精神还可以，但是前胸心脏部位很难受。我该怎么办呢？

Jnc 答：

这是有些肝肾阴虚火旺，睡前可按摩心包经以攻大腿内到脚的肝经疼的地方，一定要仔细压透肝经、肾经的太溪、胆经的阳陵泉和三焦经的支沟穴。具体方法参看《胆经——排解积虑的通道》一文。眼睛不舒服，可改用石斛夜光丸。若心悸、心烦、口渴，也可服用些加味逍遥丸。这种现象是气血上升阶段，临时造成体内各脏腑不平衡，多数是肝血增多引起肝工作增多，是好现象。实在不行也可以吃些西药的安眠药临时睡两天好觉。

第三章

自己才是药师佛

　　足底反射疗法非常好学，它把人的脚当作一面镜子，人体的五脏六腑便都在这面镜子里了。当身体里脏腑器官发生问题时，这面镜子就以痛感或其他的方式显示出来，然后按摩这些敏感部位，疾病就解除了，就这么简单。

1. 健康的真正杀手是"体内三浊"和"体外两害"

> 有人向我讨要治病的秘方，我指给他装秘方的匣子，再把开锁的钥匙给他。他却把钥匙还给我，再向我讨要治病的秘方。
>
> 我只好将他请进客厅，奉献一杯香茶了！

所谓"三浊"是指：浊气、浊水、宿便。所谓"两害"是指：不良的生活习惯、不健康的心理状态。（其治疗原理后文详述）

虽然俗务繁多，但博客是每天必上的，我知道，那里有许多等待我的朋友，他们都等着我一起结伴去看美丽的风景呢！似乎大家都把我当成了向导，这种被依托、被信任的感觉既让我激动又令我惶恐。其实，在生命的丛林中，我也只是个充满自信的探索者而已。即使撞了南墙，也觉得命该如此。但是，现在和大家一起携手同行，其中还有几位对我挚诚笃信的朋友，我真怕会令他们失望，空欢喜一场。

眼见博客上的留言越来越多，信箱里也充满了求救的信件，都是十万火急，都是殷殷恳切，很多病都是疑难绝症，我也苦无良策、爱莫能助。真怕伤朋友们的心，但很多提问我是硬下心不回的。还有一些零零散散的问题，通常是一些很偶然随机的东西，或是一些一次性的症状，当我苦思冥想、斟酌揣测的时候，你的问题早已自行解决了。

一切只是个缘份，如果大家愿意坐这趟列车，那就上车吧！或有没赶来的，或有要等下班车的，一切只有顺其自然了。

不管我们的道路是否能抵达健康的彼岸，但我们的心是要去那里的。很明确，我们不要苟延残喘地活着，我们不要小心翼翼的人生。如果你说，我只想掌握点知识，摘点野花小草，那么在这里你不会得到同气相求的感觉。语言是有力量的，因为心灵是相通的。

　　我们想要健康，就要消除影响健康的障碍。如果北风呼啸的时候才向隅蜷缩，暴雨倾盆的时候才抱头躲避，那么这种狼狈与无奈将永远与你形影相随。所以，我们必须要主动出击，防患于未然。可我们大多数人却不知患在何处，如何去防呢？

　　很多人备足了干粮，束紧了腰带，握紧了拳头，却不知该去攀登哪座山峰。如果没有敌人，那我手中的屠龙刀又该挥向谁呢？

　　现在，健康的敌人就在我们的眼前。

　　有人向我讨要治病的秘方，我指给他装秘方的匣子，再把开锁的钥匙给他。他却把钥匙还给我，再向我讨要治病的秘方。

　　我只好将他请进客厅，奉献一杯香茶了！

2. 大部分慢性病都可以用"推腹法"去解决

> 当慢性病老是不愈，但又不知病因何在、如何治疗的时候，那你就去寻找这个腹部的阻滞点吧，只要把它推开揉散，会发现你的慢性病也随之消失了。

前两天，和几个较熟的朋友一起吃饭，一个朋友说："你博客里介绍的健身方法太复杂，全是经络穴位，我看着就晕，而且也找不准，有没有更简单的方法，不学就会的？"我哑然失笑，打趣道："你这家伙也太挑剔了吧，把烙饼挂在脖子上你都不咬，就欠饿着你。"他笑了，把一块牛肉送进我的嘴里，说："这样才到位。"

我转念一想，他说的也有道理，毕竟很多人对经络可以说是一窍不通，连最基本的概念都没有。我觉得通俗的东西吧，仍然会有很多人觉得复杂。没关系，我这儿还有更简单的方法，没有人学不会，只是担心其太简单而被人忽略。人们有一种错觉，认为越难学的东西价值越高，其实从平凡中孕育的伟大、从腐朽中显露的神奇才是无价之宝。

这里介绍的这个健身法，就是"推腹法"。

推腹，顾名思义就是推肚子，用手指、手掌、拳头皆可，由心窝向下推到小腹，简单吧？但是我还要对你苦口婆心地反复强调，这可是最好的健身法。千万不要因其简单而忽略，那样你真是把天上掉下的馅饼当牛粪了。

其实这个方法也不是我的新发现，古来就有。但是我要告诉你一个书上没有的秘密，那就是一切慢性疾患都可以在腹部找到相应的阻滞点。也就是说，一切慢性病都可以在腹部找到其对应的蛛丝马迹，由此，当慢性病老是不愈，但又不知病因何在、如何治疗的时候，那你就去寻找这个腹部的阻滞点（也许是一个硬块，也许是一个痛点，也许是一个"水槽"，也许是一个"气团"）吧，只要把它推开揉散，就会发现你的慢性病也随之消失了。

如果你没有发现自己有什么慢性病，但推腹时却在某个部位发现有阻滞点，那一定要赶紧将它推散揉开，因为那将来必是个隐患。

每天早上起床时要推一次，晚上临睡前推一次，平常无聊时也可推推。有人一推就会打嗝放屁，那是清气上升、浊气下降，效果最好；有人则会腹中水声咕咕，这是在推动腹中沉积多日的浊水，这种湿浊如果不及早排出，循经上头则头痛眩晕，滞塞毛孔则发皮炎湿疹，遇肝火则化痰，逢脾虚则腹泻，遗患无穷，必须及早清除。

"胃不和则寝不安"，是说肚子不舒服就别想睡踏实觉。有人长期睡眠不好，或眠浅易醒，或辗转难眠，或噩梦不断，只能靠安定来麻醉神经，真是痛苦不堪。这种情况我建议你赶紧推推肚子，会很容易找到阻滞点，然后细心将它推散揉开，坚持下去，你就可以告别漫漫长夜忧愁枕，一觉睡过日三竿了。

■ 求医录

想吃就吃问：

老师，我推腹后吃得特别多，这是怎么回事呢？

中里巴人答：

脾胃调理需要气血，推了后，瘀滞通了或改善了，胃想干活了，当然能吃了。有胃口在中医叫有胃气，说明气血生化有源，是好事情！

果儿问：

不知疝气这个病可否通过推腹法治好？还是只能通过吃药或手术治疗？在很多中医网站看到有人说通过中药有治好的，但是老家的人都是通过做手术治疗的，村里又没有真正的中医，实在是很难说服他们不做手术。像家父这样已经做了手术的，还能否运用这样推腹按摩？因家父说动手术是把肠子漏气的地方堵住就没事了，我也不是太清楚是什么意思，这样按摩应该不会对肠子造成不良影响吧？

中里巴人答：

难能可贵，你能为一方村民和父亲来寻问祛病良方，真是菩萨心肠。我想村子里很多人得此病，应该和你们当地的水土有关了。关于疝气中医分得最详，不下7种，有的书上写9种。要预防，只需从肝经做起，未病的按摩太冲穴、中都穴、曲泉穴，加敲胆经，常推腹，不让其有郁结；已病的按摩太冲穴、行间穴、中封穴、蠡沟穴和脾经的商丘穴，防止其再扩大病情。爱心感动世界，也会感动苍天，祝你们村子因你而福泽绵长。

您的粉丝问：

我痛经很厉害，每当我做推腹的时候总想睡（好像是眼干的症状，就是睁不开眼，但大脑不累），这是怎么回事？是不是气血下行后眼睛缺血呢？

中里巴人答：

推腹推得想睡觉、眼睛酸，这是气血通畅的大好现象，证明你的经络是畅通的。再坚持推，会有更好的疗效。

3. 身无"三浊"一身轻

> 为什么我把"推腹法"说成是最简单、最有效的健康法? 那是因为它就好比是身体之家里的一把大扫帚, 你每天用它来扫一扫, 身体里哪儿还会有那么多的垃圾呢? 没了垃圾, 那些可恶的小病小灾还会来吗?

治病无非就是两点: 一是治什么, 二是怎么治。治什么也就是病因, 怎么治就是治疗的步骤。

人世间的疾病千奇百怪, 常见病就有几百种, 而真正能说清病因的疾病却寥寥无几。怎么办呢? 中医里有一句精华叫"治病但求其本"。只要找到了产生疾病的本源, 那么不管它如何变化多端, 如何纷繁复杂, 皆是万变不离其宗, 尽在掌控之中。

那么我们要治什么呢? 其实, 我们要治的不是外来之物, 而是内生之物。内生之物就是"三浊"——浊气、浊水、宿便。

如果你家里到处是垃圾, 那就难免会有各种臭味相投者前来分享美食, 苍蝇、蚊子、蟑螂、臭虫, 还有很多叫不上名字的家伙等等都来了。这不能怪它们, 它们也是老天的宠儿, 和咱们一样平等, 只要有土壤, 它们就要繁殖。你别想能够杀光它们, 它们本与你无仇, 只要你散发出它们喜欢的信息, 那它们就必来光临。你肯定不喜欢这些不速之客, 那么还是赶紧把家里收拾干净吧! 这时你请它们来做客, 它们都会逃之夭夭, 唯恐避之不及呢! 你家里的垃圾就是"三浊"。

我们发现, 表面的灰尘易扫, 但还有些脏东西时间太长了, 已经和地板粘在一起了, 清理就没那么容易了。但如果你知道这些垃圾是产生蚊蝇的根源, 时时都在考虑如何清除垃圾, 而不是整日在分析蚊蝇到底从哪里来、如何能将它杀光的问题，那么你就有救了，因为你一定会想出清理垃圾的妙招。

如何排"三浊"？为什么我要把"推腹法"说成是最简单、最有效的健康法？那是因为它就好比是身体之家里的一把大扫帚，你每天用它来扫一扫，身体里哪儿还会有那么多的垃圾呢？没了垃圾，那些可恶的小病小灾还会来吗？

具体应该怎么做呢？

首先，应该开窗通风，把浊气放出来；其次还要把下水道疏通；再者就是好好把犄角旮旯儿的脏东西清理出来。

对于浊气来说，放屁是最好的对策。

有人每天都放屁，可放的是小屁、蔫屁、臭屁，放的是肠胃产生的浊气，也就是食物发酵的产物，是脾胃有食积不化、消化不良，需要吃些助消化的药物，如加味保和丸、香砂枳术丸等。

还有一种响而不臭的屁，放出后心里很痛快，这放的是肝胆的浊气。肝胆的浊气多是由情志不舒造成的，但是肝胆与外界并无通道，需借肠胃之路得以宣发。每天能放些这样的屁对缓解心理压力帮助巨大。有人长期不知放屁为何事，那是很危险的。生于斯世，谁又能日日舒心、无怨无悔，故必会有些郁结之气。我们不能保证不生气，但是我们要力争能放气。因为气滞必血瘀，血瘀的地方多了，必然会表现出各种症状，也就是西医所说的各种病，如肝胆病、肾脏病、高血压、心脏病、月经病及肿瘤等，中医言百病从气生，正是此意。

提到排浊气、浊水，不得不再提提"推腹法"。

推腹时发现有的人肚子鼓鼓的，按下去不痛，但是像个皮球，这怎么办呢？必须先放气。放气的方法很多，"萝卜能通气"、"吃豆爱放屁"，这类民间疗法都很好用。也可敲打胃经，针刺中脘、气海、足三里等穴。爱出现这种症状的，多是有事儿总闷在心里的人，这种人肠胃时常会出现问题，或痛、或胀、或腹泻，他的痛点在较深层的地方。

有的人肚子痛点很多，能用"推腹法"推开的多是暂时的气结，还有用此法推不开的，通常这是气滞时间很长，已经有瘀血阻滞其中了。这时可查看痛点压在哪条经的通路上，只要敲打和按摩大腿上这条经的穴位，就可帮助打通瘀滞。在敲打和按摩时也可同时在腹上痛点针刺或拔罐。

还有的人肚子软软的，按压哪里都不痛，但是仍然会觉得腹中闷胀不舒，这通常是中气不足、气血过少造成的，必须先补足中气，或吃些如补中益气之类的成药，人参黄芪类的草药都可有效。

还有人胸窝下用手一推咕咕有水声，开始时水声很小，推的地方还有些痛，这是"浊气裹水"；越推水声越大，打了几个嗝或放了屁以后，整个肚子就成了水声一片，这是把死水给推活了，很快就可以从膀胱排出了。这种浊水你不将它排出，它可以长期停在胃肠之间影响脏腑的正常运行。为什么有些人不爱喝水呢？是因为本来就有水堵在胃肠之间下不去，如再要按西医的倡导每天喝几千毫升的水来排毒，那就先水中毒了。所以喝水能排毒也可中毒，还是要因人而异的好。

还有宿便，我为何没放在前面说，一是因为大家一直认为排毒就是排大便，所以很重视，各种常识性的文章也解说得甚为详尽；二是排大便相对于排浊气、浊水来讲容易一些，只要吃些纤维性较高的食物，气血虚弱的再补些气血，使其推动有力而不是强排硬通，不是一个很难解决的问题。

有人说，你这道理说得似乎还过得去，可是排浊的方法太少了，还需细细说明。其实方法遍地都是，你只要发现了问题，那答案就在问题里面了，只怕你还不知什么是你的问题，总得给你留点空间找一找吧！如果大家都找不到答案，那我也是白说了。

■ **求医录** ▬▬▬▬▬▬▬▬▬▬▬▬▬▬

很想学问：

患胃溃疡可以做推腹吗？

Jnc 答：

当然可以做。这类人心窝和肋弓边缘一定有很多阻滞点，多推推腹，尤其胃经沿线，再配合敲胃经、胆经大腿部分的经络，对改善消化道疾患有很大帮助。

布谷鸟问：

我也是有胃病，推腹快一个星期了，每次推时都是咕咕地响，硬块有3处（1块在肚脐上方，即心窝那里，肚脐左右各1块，较硬，但不是很痛)，用力大时会不会伤到内脏呀？一般推多久能推散呢？

Jnc 答：

好转的过程中，胃或肚子可能反而频繁地疼，或隐痛或腹泻，好多肠胃症状都可能出现。每个人病的时间长短和瘀滞的程度不同，不好说推多久可以好，但推上1~2周，疼痛的程度、深浅及位置就应该会有所改变，或减轻了，或层次深了，不用力都不痛了。当然力度要有限度，一般的瘀滞稍微用力按压就会有反应，或酸，或酸痛，或硬结，或刺痛难当，用大力按的时候下意识地绷紧腹肌，有肌肉的保护，就不怕伤到内脏了。坚持一段时间，定有效果，就像陈玉琴老师报告里讲的推压把胃癌都弄好了，只要努力坚持，一定会看到效果。

4. 一觉睡到自然醒——非常简单的失眠调养绝招

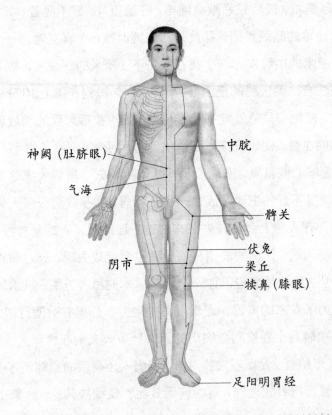

神阙 (肚脐眼)

中脘

气海

髀关

伏兔

阴市

梁丘

犊鼻 (膝眼)

足阳明胃经

睡眠质量不好的主要原因之一是在肠胃，这是我们一般人做梦也想不到的。

在临睡时，找 6 个真空罐，一个拔在肚脐上 7 厘米的中脘穴，一个拔在肚脐下 3 厘米的气海穴，剩下 4 个罐都拔在任意一侧大腿的正面（胃经），均匀排列。拔上 10 分钟，然后再睡觉，便觉心里分外地平和。

辛苦了 5 个工作日，在双休日的早晨我们多么渴望一觉睡到日三竿呀！可是很多人却无缘享受这种生物本能，不是辗转反侧就是噩梦缠绵，有的人眠浅易醒，有的人睡得不解乏。无眠之煎熬是痛苦而可怕的，但往往又无应对之良策。西医只有舒乐安定，中药常用天王补心，都难除病根，最后只好默数绵羊，守星望月，好不凄苦。其实，我们有非常简单的睡眠秘招，那就是在临睡时找6个真空罐，一个拔在肚脐上7厘米的中脘穴，一个拔在肚脐下3厘米的气海穴，剩下4个罐都拔在任意一侧大腿的正面（胃经），均匀排列。拔上10分钟，然后再睡觉，便觉心里分外地平和。因为这几个拔罐起到的功效就是加强肠胃的供血量，使肠胃不再因消化无力而浊气瘀积，令肝脏负担加重，进而影响心脑供氧，造成"胃不和而寝不安"。所以大家这回清楚了，睡眠质量不好的主要原因之一是在肠胃。这是我们一般人做梦也想不到的。有人马上会说，失眠有的是心理问题，有的是神经衰弱，不光是胃肠问题。你说的没错！颈椎病也会造成失眠，冠心病也会半夜坐起，但这里只是想告诉你一个治病求本的思考方法。只求能够实用，不是为了专家的审评，逻辑混乱的地方，心里有数就行了。

有一次碰到个腰椎间盘突出的人，针灸大夫刚在腰阳关、委中、承山、昆仑、绝骨、大杼等穴扎过针，可病人还是腰痛得翻不了身。我看所刺位置皆符针穴之理，可为何无效呢？便细按其脉，脉象上实下虚，寸强尺弱；辨证为气壅于上，血不下行。于是针刺右侧肺经尺泽穴，同时左侧心包经刮痧。患者顿觉腹中肠鸣，有股暖流循大腿内侧而下。留针10分钟，令患者下地一试，觉腰痛大减，只微微有些酸胀。腰椎痛却治心肺，这就是"舍症从脉、治病求本"的实例。

有朋友问，你上述几症的病因，好像与你说的"三浊"没什么关系。其实不然，"三浊"是内生疾病的总源头，如果能及时排除它们，便无后面所论分支疾患，即使偶然产生也会很快自愈，从而气旺血足，则百病不生。人体虽天然有强大的自愈能力，但往往因为"三浊"作怪而难启动自愈的程序，所以清除"三浊"是治病于未萌的根本。事有先后，病有缓急，急就先治其标，救急要紧；缓当必求其本，长治久安。

爱妖问：

我敲胆经已经半年多了，最近夜里2点和4点左右总是醒来（尽管我有按摩太冲和尺泽），而且睡觉总是不踏实，容易醒，午休也是睡不长。口苦，半夜醒来感觉身体比较热，似乎脾虚（舌头有齿痕），而且最近舌头总是起疱，还有点牙疼。另外，我很瘦，按摩穴位基本都不会疼的。不知道还应该按摩哪些穴位可解决睡眠不好的问题？

中里巴人答：

您的问题似乎是肝脾不和、肝旺脾虚造成。最有效的穴位除了太冲穴外，阳陵泉（胆经）和支沟穴（三焦经）的效果也可。

盼望问：

我以前每晚11：30睡觉，每天睡5～6小时。自从看了《人体使用手册》以后我开始每天敲胆经、早睡，每晚10点左右睡觉，但这样反而睡不着了，经常两三点才能入睡，有时整晚都睡不着，失眠越来越严重。吃饭算正常，肉吃得少，蔬菜多一点。

我喜欢吃热的东西，不喜欢吃冷的、冰的东西。大便1～2天一次，大便色偏黑，总有拉不尽的感觉。

我性格内向，很少发脾气；话不多，说话多了会感觉很累，气接不上来；人比较胆小，遇事容易紧张。还有就是喉咙有点干疼，舌苔厚重白腻，口腔有异味。上火时我喝淡盐水、多吃水果一般就没事了，平时舌头有齿痕，经常牙龈出血。

按照老师书上介绍的，我平时是属于畏寒怕冷怕风、冬天手脚冰凉、不太想喝水的人（上火的时候除外），我想吃强肾片、桂附地黄丸，是两种药一起吃还是单吃一种？红糖山楂水加三七粉不知分量如何掌握？希望得到老师的指点。

Jnc 答：

您的失眠是由于以往体质虚、长期透支肝火，致使到了晚上身体就习惯地把肝火烧得很旺，导致很晚还很精神、缺乏困倦感。你可以按《人体使用手册》里的方法，多按摩足部的太冲——行间穴，如压着很疼，就从太冲向行间方向按压，与敲胆经一样，顺序按，每晚按压3~5分钟，以疏导肝火。也建议您睡前热水泡脚，协助疏导肝火。如果也有胸胁憋闷胀满，可以买瓶逍遥丸吃吃。

您的其他症状都是些脾虚、肾虚的表现。您先吃些补中益气丸，看看大便有没有改变。桂附地黄丸也可以吃吃，可空腹吃，先补补气再说。也可以吃些参苓白术丸及柏子养心丸（先吃补中益气丸，观察一下再说）。如果晚上心悸难入睡，可以喝点人参生脉饮以缓解心悸烦躁扰乱的睡眠。

三七粉买同仁堂管装的最好，4块多钱一支。每次加一支在山楂水里和匀了吃就可以了。

调理很需时间的，要有耐心，看情况来变化吧。

5. 想吃什么就吃什么

> 济公曾经是"酒肉穿肠过，佛祖心中留"。我们何不效其心法来一个"毒物穿肠过，营养腹中留"呢？那样我们生活的每一天就再也不必去为吃什么或不吃什么而忧心忡忡了。

其实，人体的排毒功能相当齐备。我们可以把进入人体的毒素统统排出去，而不让它在我们的血液和肝脏中堆积下来。但是为什么大多数人体内的毒素会沉积下来呢？那是因为"三浊"在作怪，"三浊"就是浊气、浊水、宿便。

现在我们吃的很多东西据专家考证或多或少都有了毒素，而且毒素涉及的范围已经让我们防不胜防。这边这位高级专家刚刚说完这个食物很营养，我们正满怀欣喜，话音未落，另一位权威人士马上站起来说这东西有毒素，又令我们惶恐不安，而且他们都拿出了非常专业的统计数据。从肉、禽、蛋、奶到五谷果蔬，几乎每一个都标上了毒素的标签，昨天还是健康食品，今天却变成了致病元凶。有化肥毒，有添加剂，有转基因，还有工业污染等等，反正你若想不受其毒，除非绝食辟谷。其实，我们生活在这个从空气到水源、从土壤到生物都广受污染的环境里，还能寻找一块绿色的净土吗？

既然是天网难逃，那我们索性就"和于光而同于尘"好了。济公曾经是"酒肉穿肠过，佛祖心中留"。我们何不效其心法来一个"毒物穿肠过，营养腹中留"呢？那样我们生活的每一天就再也不必去为吃什么或不吃什么而忧心忡忡了。

现在大家一说排毒，往往指的就是排大便，似乎肠一清我们便体内无毒了。其实，排大便只是把体内最浅层的毒素排出，深层的血液之毒必须从尿液才可排出。有的人10天不大便也无生命之虞，但是只要3天无小便那就必有性命之忧了。

　　有的人每天喝的水很多，而排出的尿却很少，这样血中的毒素就不可能被冲刷带走。那么，那些水都跑哪去了？除了有爱出汗的人从毛孔而解，大多数是滞留在胃肠间，形成积液了。这种积液就是中医所说的湿毒，它若流注到四肢便为水肿，堵塞于毛孔便为疹癣，遇风寒化作痰饮，逢血瘀形成积块，积于胃脘则呕恶，上行于头目则眩晕……诸症纷然，皆因湿浊而起，所以及早清除湿浊甚为切要。但为何积液会停于胃脘而不下行呢？最初的原因是有浊气阻滞在水流的通道上了，这就像我们有时候楼房内的暖气管不热，水不流通循环，此时只要把通气阀打开放放气，水流马上就会重新循环起来。所以我们必须要把体内的浊气随时放出来才行呀！人体排泄浊气的方式主要是两个——放屁和打嗝，一定要注意检查你的"排气阀"，看看是不是已经生锈很久了。

6. 打通小周天——一分钟学会道家养生秘法

一、叩首法（小周天打通法之一）

叩首，顾名思义就是磕头，有人问，磕头也是锻炼吗？那当然，磕头还是道家修身秘法之一呢！

"学道本无门，叩首先有益"。但是，咱们练的叩首不是头碰地，而是头叩手背，就像是我们趴在桌上打盹时将额头压在手背上的感觉。也就是说，怕我们的额头直接磕在地板上会疼痛受伤，就用手垫着。这样额头撞在手背上，既不会因接触面太软而无效，也不会觉太硬而受伤。

然后按拜佛叩头的样子，以额头部分（鼻根至前发际线）撞击手背，幅度和力度因人而异，本着由轻而重的原则。抬头再叩时要有一个头后仰的动作，每15次为一小节。接着从鼻根到下巴轻轻"撞揉"手背，每反复10次为一小节，"撞揉"时面部始终与手背相贴进行（"撞揉"时频率要快，如震颤一般），两节为一组。

如此可使任督二脉在头部顺接，为打通小周天的第一步（高血压患者暂不可练此功）。

二、震动尾闾法（小周天打通法之二）

先双腿盘坐。有些人说我盘不上，而咱们这个功盘不上正好！双脚微盘能交叉即可，然后用脚掌外缘骨用力站立（站的过程中膝盖不可触地）。刚站一点有人说不行，站不起来也没关系，这个功法本来就不需要完全站立起来，只要臀部离地10至30厘米就行。由于重力作用，臀部落地时正好使尾骨撞击地板，这个动作就完成了。这种撞击面积较大，安全无痛。为保万无一失，开始时臀部可垫棉垫，站起的幅度也宜由小到大，或面前有人帮忙拽起也可，主要目的就是要震动尾骨，使任脉会阴穴与督脉长强穴得以顺接。这是打通任督二脉的关键一步（有骨结核、骨质疏松及急性腰扭伤者，忌用此法）。

别小看这一站一坐。站时吸气使整个脊椎督脉气冲灌顶，落下呼气时自然气沉任脉丹田，乃用意而不用力之妙法。这对妇科病、肛肠病有立竿见影的效果，还可强壮肝肾功能，且能降压安神，治疗腰膝疼痛，只要锻炼时从容和缓，不急不躁，锻炼后都会有气力大增的感觉。

三、壁虎爬行法（小周天打通法之三）

我们都看过壁虎或诸如蜥蜴、鳄鱼的爬行吧，咱们这个动作就完全依照它们来进行，爬行得越像越好。但是咱们在地板上练时不用真的往前爬，如果真的向前移动了，那就必然是四肢在用力，而这个锻炼法四肢是不用力的。所有动作的完成虽然主要是靠胸腹和腰的力量，但我们却不可把意念集中在那里，而应集中在"爬"上——此时你就是一只壁虎，自然放松得像壁虎那样去摆动肢体就可以了。

记住壁虎的所有动作都要有，因为你就是一只壁虎。爬时大腿内侧和上肢内侧以及胸腹部都会直接接触地板，所以要注意为防止地板过凉、皮肤擦伤等问题，应先有些简单的防护措施。

此功法主要用来打通任脉，对增强五脏功能效果卓著，尤其对肝脏有很好的养护作用，对肠胃疾病、便秘、妇科病痛经、不孕等诸症都有很好的疗效，减肥消脂的作用也非常明显。任脉乃阴经之海，总调阴经各脉，对于更年期妇女尤为重要。

四、踏步摇头法（小周天打通法之四）

放松仰卧于地板，两手抱于颈，好像要做仰卧起坐，头略微抬起，现在我们开始做原地踏步的动作。

你问了，原地踏步，脚心碰不到地面呢！对，不是让你脚踏实地，而就是一种想像，你就躺在那里，脚跟贴着地板，两脚一收一伸踩着虚空，做原地踏步的动作就对了。动作不要大，同时头随着脚的伸缩而向左右摆动，收左脚时头向右摆，收右脚时头向左摆。意念想着：我站在一个空地上，抱着头，悠然自得地做着原地踏步。动作和缓从容，用意不用力。

这个动作主要是锻炼整个脊椎，也就是督脉。督脉是阳经之海，总摄各条阳经，能够升发人体阳气。所以这个功法只要练上几下，就会让人浑身发热、气血旺盛，尤其对于肾脏有很好的强壮作用，且活血通络作用很强，可治疗虚寒症及腰腿病，对心脏及脑供血不足的人效果明显，对于类风湿性关节炎也有很好的治疗作用。

不过要注意的是，练此功时脊椎供血非常旺盛，正是要打通督脉，但是有些人脊椎长期有瘀血阻滞，或侧弯，或膨出，或钙化，这时就会感到脊椎某些部位会产生一些较强烈痛感，也就是好血在冲击这些病灶。不必担心，这种痛感很快就会过去。为了使锻炼更加顺畅安全，锻炼要循序渐进，时间宁少勿多，以不疲劳为准。另外，如在练完此功后取俯卧位，让人用掌根从颈一直按摩到尾骨，常会发现有格外疼痛的点，需稍加仔细按摩，这样可加速打通督脉。

7. 美容的根本是保养身体内部

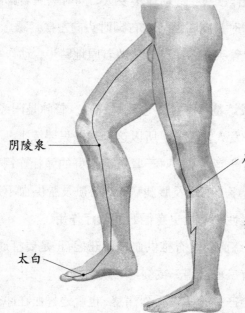

阴陵泉

足三里

胃经的足三里穴和脾经的太
白穴、阴陵泉穴治脸部老长
痘、暗斑、起脓疱、浮肿、掉
发、失眠、皮肤粗糙。

太白

　　皮肤是你整个身体状况好坏的镜子。只用名贵的清洁剂、保养液护
理清洁镜子的表面而不管它内部的功能维护保养，效果当然无法持久。有
句广告词怎么说来着：以内养外，才是真正的美！

　　人的"面子"问题何其重大，爱美之心何其尊贵！美容真是关乎一
个人的生命，尤其是女性，这似乎是天性使然。如果美丽能够成为大家追
求健康的动力，我很乐意助你一臂之力。

　　前几日和两位中年女士聊天，她们说："你的文章里少有美容方
面的题材，其实这才是我们女人最关心的事情。"我一向认为疾病是人
们心目中的最大困扰，然而对于女性来讲，可能美丽更是她们的生命。

　　现代人关注美容，多数只注重皮肤、毛发表面的现象，很少顾及

这些问题背后脏腑功能发出的警告。肤色不好有化妆品救驾，嘴唇颜色暗淡有口红唇彩，皮肤有斑、痘用遮瑕笔。各种保养品畅销，越贵越有人买，用了后就离不开，因为很多都是用的时候可以改善一点，停了以后很快就反弹，于是爱美人士都成了护肤、保养品"忠实"的顾客，无论心理还是生理都成瘾了。为何用了就离不开，有谁想过这个问题？皮肤是你整个身体状况好坏的镜子。只用名贵的清洁剂、保养液护理清洁镜子的表面而不管它内部的功能维护保养，效果当然无法持久。

其实，人的皮肤、毛发、气色、体形等种种外在表现，都是其自身脏腑、经络功能好坏反映在体表的提示信号，身体的种种表现其实是在告诉人们哪里工作正常、哪里举步维艰。

问：我的皮肤粗糙，爱起疙瘩，是何原因？

答：主要是肺的功能虚弱。

问：我的皮肤没有光泽，脸色苍白，是何原因？

答：主要是心的功能虚弱。

问：我的皮肤总像没洗干净，蒙了一层灰尘一样，还在太阳穴附近莫名其妙地长出暗斑来，是何原因？

答：是肝胆郁结造成的。

问：我的皮肤老是起脓疱，用手一挤便成了麻坑，不挤就永不消失，是何原因？

答：是痰湿流注造成的。

问：我头发一掉一大把，枯干没有光泽，是何原因？

答：那是肾气虚弱造成的。

以上的界定是强调各脏腑与皮肤毛发的对应关系，切不要机械地去一一对应，因为没有哪一个脏腑会独强独弱，它们都是互相牵制，协同合作，一损俱损，一荣俱荣。

在中医的理论中，肺与皮肤关系最为密切，"肺主皮毛，司毛孔之开合"。我们知道，皮肤每天代谢的废物要经过毛孔排汗而出。如果毛孔开合的功能失调，废物沉积在毛孔中，那么皮肤就会粗糙没有弹性，堵塞严重便会长出疹子疙瘩来，所以要想皮肤好，肺的功能一定要加强。

心脏功能不好，最主要的就是影响面部的气色。心脏供血不足就会面色苍白，心血管瘀阻就会使面部颜色不均且隐隐发黑。所以，想要面色红润有光泽，一定要改善心脏的功能。

肝胆郁结，也叫肝郁气滞，通常是生气、忧虑、恐惧等因素造成的。其危害最大，是美容的大敌。它会令天生丽质的女士过早地长斑，而且来势汹汹，同时伴随着月经和乳腺等问题，有时还有剧烈的偏头痛。"百病从气生"，为了美丽，劝你一定要自娱自乐，远离忧愁、恐惧与愤怒。

还有一个影响美容的因素，那就是肾气的虚弱。肾乃先天之本，是人体能量的源泉。一旦虚损，好比房屋的根基动摇，将出现头发干枯脱落、牙齿松动、牙龈肿胀、头晕耳鸣、腰酸腿软等一派衰老之象，美容便无从谈起了。

有的人皮肤上总爱起脓疱，这是痰湿流注肌表所致，"脾是生痰之源，肺是储痰之器"，痰湿产生的根源在于脾胃功能失调。

人的"面子"问题何其重大，爱美之心何其尊贵！美容真是关乎一个人的生命，尤其是女性，这似乎是天性使然。如果美丽能够成为大家追求健康的动力，我很乐意助你一臂之力。

求医录

璇璇问：

我的皮肤就是老长痘，而且有脓，从十三四岁长到现在28岁了，还在不停地长。中药也吃了，皮肤科也看过了，护肤品也用了，就是不见好。皮肤总是油油的，毛孔也比较粗，脸色苍白。若说毛孔粗是肺不好，可我头发却黑亮柔顺，只是经常掉头发。另外我觉得自己的脸有些浮肿，我并不胖，可是第一眼给人的感觉总是比较胖。我妈妈说我小的时候经常流口水。还有，我经常失眠，白天没精神。肠胃也不好，吃一碗饭就撑得半死，怎么办呢？

中里巴人答：

您的所有问题都在脾胃虚弱上。只要脾胃调养好了，您的肿胀、掉发、失眠、皮肤粗糙等问题都会迎刃而解。食疗可吃山药薏米粥（等量打粉熬粥），成药以参苓白术丸、柏子养心丸（空腹吃）最佳。穴位取胃经的足三里和脾经的太白穴、阴陵泉。禁忌冰镇食物、冷饮、油炸食品，少吃鸡肉、河鱼、猪肉。肚胀时，可吃加味保和丸。

福星照问：

如果每天坚持敲打按摩经络，身体会出现一些好转反应吗？我现在比以前爱出汗了，却容易感冒了，比较怕凉了。以前我不爱感冒，不爱出汗，但怕凉。这是正常现象，还是我有其他的问题呢？

中里巴人答：

原来你固守城池，城外周边你无力顾及，都被敌人占领，但你的城池暂时还稳固；现在你主动出击去打击周边的敌人，赶跑了不少敌人，可你的城中也有点兵力不足，有些敌人便乘虚而入了。所以不要出兵太多、太勤，出兵后也要派人留守城池。敲打通经络固然重要，但是培补正气更为必要。现在您可在平日吃些玉屏风颗粒，给自己多加一层屏障以御外敌。

8. 美容从喝五色养颜粥开始

吃五色养颜粥（黄豆、绿豆、黑豆、红豆、紫米），就是最简单、最省时、最有效的美容方法。

禅经上说：无意之中是真意。看来，人只有率真了，才能得到天然美容的妙方。

近来总有女性朋友问我美容问题，我一时语塞，不知如何回答：我推荐的刮痧，有人觉得恐怖；点穴，有人说找不准穴位；做足底，有人觉得疗效太慢。真让我有点黔驴技穷的感觉。因为我对美容一向重视不够，没有把它放入研究范围，所以缺乏经过实证的妙方。而每每碰到的10个女性朋友，差不多有9个有事没事就把美容放在嘴边，所以说美容是女人的生命，实不为过。

不论什么事情你一琢磨它，它还就来了。我突然想起一位很久没有联系的女性朋友，她是一家电视台的节目主持人，已经40多岁了，我前年刚认识她的时候，把她当成了二十几岁的小姑娘，差点弄出笑话来，因为她的皮肤非常光滑细嫩，头发也乌黑发亮。我问她有没有结婚，结果人家孩子都上高中了。当时我是瞠目结舌，本来她是请我把脉诊病的，结果是我非常谦恭地向人家讨教养生之道。她说，没什么啦，一是多睡觉，然后就是唱歌、吃肉，完了。我想肯定不会这么简单，便一再追问，最后，她说，好吧，看你这么心诚，我就把我的独家秘方传给你吧。于是她一脸神秘地说出了自己的法宝——五色养颜粥（黄豆、绿豆、黑豆、红豆、紫米）。我一听，皆是寻常之物，没什么稀奇，便把它当做一件趣事，没再去探究其中的奥妙。现在突然想起女性美容，便对这个"豆米方"分析起来——

黄豆：味甘，性平。入脾、肺、大肠经。补气健脾，行气导滞，养血润燥，利水消肿。

绿豆：味甘，性凉。入心、胃经。清热解毒，利水消肿，开胃健脾。

黑豆：味甘，性平。入脾、胃经。滋阴养血，活血利水，补虚黑发，祛风解毒。

赤豆（红小豆）：味甘、酸、性平。入脾、肝、膀胱经。利水消肿，除胀消瘀，健脾补血。《食性本草》认为其"下水肿，久食瘦人"，看来有减肥的功效。

紫米：味甘，性温。入心、脾、肾经。养心安神，健脾补血，强肾益精。

综合看来，这副"豆米方"对五脏六腑全都顾及，寒热搭配，不凉不燥，泻不伤脾胃，补不增瘀滞，真是一剂驻颜长寿的妙方。我曾问过那位女士这方子的由来，她说是无意之中搭配出来的。

禅经上说：无意之中是真意。看来也只有这样率真的女子才能轻易地得到这么天然的妙方。在此我真诚地祝福那位女士永葆童心，永远年轻！

■ 求医录

貌美如花：

五色豆洗净后，用水浸泡一夜。（豆萌芽，生最盛，其酵素特多，少食后令人排出空的物，而且更容易煲。）把泡好的五色豆放入水中，加入适量的水煮至豆花，即加入冰糖、溶解后即可用。

Ellie 问：

我很喜欢吃大枣的，只是怕热量太高不敢多吃，看来以后可以随意吃了。我最近把枣放在您上次推荐的五色养颜粥里面，不知道煮熟了以后能不能还有同样的效果？还有，这个粥可不可以当晚饭吃呢？我近两个星期以来每天晚上喝一碗，身体热乎乎的，觉得挺舒服。

另外，我手脚一直容易冷，最近开始每天下午慢跑20到30分钟，希望能够改善自己的体质。我还在别的书上看到一个方法，就是用冷热水交替冲脚，重复几次后再用热水泡。我想问一下老师，这个方法可以采用吗？能够从根本上帮助改善体质吗？

中里巴人答：

这个粥原本就是食品，一日三餐可随意服用。您增添了大枣，加强了养血的功效，创意不错。慢跑和快走都是很好的健身法，但是需要在锻炼时将意念集中在脚掌上，仔细体会脚掌和地面接触的感觉，这样才能将气血引到足底，脚底一热，全身温暖，四肢经脉顿时畅通。冷热交替洗足，古来有之，常人可用此锻炼体质，虚寒体质者却不适宜用此法，极易"引狼入室"、"关门留寇"，将寒气引入经络。不如每日临睡时用大盐（粗盐）水泡脚，每次用盐半斤（可反复使用），确有温经通络之效。

9. 一小时内解酒毒

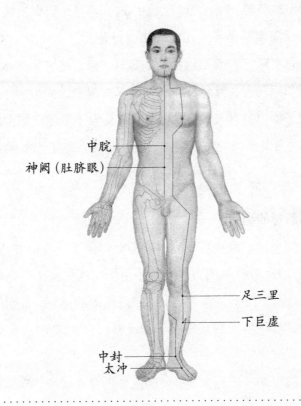

中脘

神阙（肚脐眼）

足三里

下巨虚

中封
太冲

> 解酒的法子有两套：揉胃经的足三里、下巨虚和足底小肠的反射区，再使劲揉肝经的中封穴、太冲穴，再吃生萝卜、西瓜、莲藕、梨、藿香正气胶囊、大山楂丸，这样可以增强肝的解酒毒功能。

我有很多做生意的朋友，每人的手包里都随身携带着藿香正气胶囊和大山楂丸这两种常用药，且常常会在酒后按摩自己身上的穴位，他们觉得效果非常显著。教了他们这几招我真不知是害他们还是救了他们。

中华的酒文化从古至今渊源流长，少量饮酒可以行气活血，保护心血管功能，其中尤以干红最佳，干红在国外有"心血管保护神"的美誉。但不论何种美酒都有个量的限制，过犹不及。历史上饮酒过多伤害身体、耽误要事甚至丧失江山的比比皆是。

酒，很多朋友对它有着难以割舍的嗜好，但酒终究不是水，过度饮用带来的诸如脂肪肝、胃肠及神经损害都是健康的大敌。并且因醉酒驾驶导致的悲剧也频频发生。饮酒成瘾者及为了工作应酬多的人该如何减轻酒精对自身健康的伤害呢？下面我提供一些自己的治疗经验，供大家参考。

1. 一小时内解酒毒的绝招

如果你饮酒至醉，腹中难受，头痛恶心，隔了一晚仍然不见好，通常称为宿醉，治疗最有效的方法莫过于用拇指揉按腿上的足三里穴了，按揉的同时如果你感到腹中舒服，有肠蠕动的感觉，证明酒食已入小肠，需同时揉下巨虚和足底小肠的反射区，通常10分钟就可明显缓解症状。

若点揉足三里恶心反而加重，证明酒食仍停在胃中，此刻则需要手指探喉催吐；因为食物和酒精已造成对胃的伤害，而胃粘膜上有急性炎症发生，食物和酒精此时和毒素没有区别，最好能吐干净了，症状才可消失。吐的过程中可以饮用加少许盐的水，可以帮助清洗胃粘膜，将更多变质的食品带出来。

然后揉中脘穴和足三里，再加揉足底胃反射区及太冲穴和中封穴，就可以增强肝的解酒毒功能，同时服用藿香正气丸，然后稍事休息，通常1小时内可解除症状。

2. 吃以下东西就可以防酒醉

治莫如防，如何防止酒醉和酒精的伤害非常重要，一些日常的蔬菜水果和一些便宜的中成药就有很好的预防效果。

（1）生白萝卜：解酒功效最强当属生白萝卜，寒热体质都适用，饮酒时吃些萝卜可防止醉酒。

（2）西瓜、莲藕、梨：热性体质喝白酒时可吃些西瓜、莲藕、梨等清凉之品。但体质虚寒者忌服。

（3）藿香正气胶囊：喝冰镇啤酒过多，可服几粒藿香正气胶囊。

（4）大山楂丸：食肉过多服用大山楂丸2丸，可预防酒肉过多引起的脂肪肝及消化不良。

10. 足疗可以补充人的底气

把脚比喻为拿在手里的风筝线轴，经络则是长长的风筝线，各个脏腑则是天上飞的风筝。人们按揉脚的反射区就相当于放风筝的人收放线轴，通过经络这根线就可以控制脏腑风筝的方向和高低了。自由控制风筝的前提是连接的线需完整，如果连线中间被东西缠绕或者断了，风筝就失控了，此时按摩足下的反应也就不准确了。

不知道你有没有做过足底按摩或者埋耳针减肥的经验，现在许多的保健方法都是找到身体全身的反射区，对其进行经常的刺激，痛的地方就是有问题，按摩那里就可以调节疾病。

现在大家的保健意识都很强，许多美容洗浴中心都有足疗项目，由于它简单方便，受到许多人的喜爱。足底按摩（足疗）为何可以保健和治疗疾病呢？它的原理是：身体有许多脏腑的经络均下行到足，出现在脚相应的区域里，刺激这些相应区域就可以调节脏腑的功能。这样讲可能太抽象了，有部叫《无极》的电影大家可能看过，中间有个镜头就是把人当风筝来放的。拿这个例子来比喻足疗再好不过，把脚比喻为拿在手里的风筝线轴，经络则是长长的风筝线，各个脏腑则是天上飞的风筝。人们按揉脚的反射区就相当于放风筝的人收放线轴，通过经络这根线就可以控制脏腑风筝的方向和高低了。自由控制风筝的前提是连接的线需完整，如果连线中间被东西缠绕或者断了，风筝就失控了，此时按摩足下的反应也就不准确了。

体验过足底按摩的人都感觉到，有些地方特别疼，有些地方则没有感觉。感觉疼说明风筝线是完整的，没有断，这个地方还能反映出问题，但疼痛的轻重并不一定跟病情的轻重成正比。由于病轻，脏腑能力损伤少，经络通，在反应点的疼痛可能非常夸张和厉害；反倒是病情重、经络阻塞严重的时候，风筝线绕到其他地方或断了，疾病的信号传不到足底了，此时按压不疼的地方可能是病得非常严重的地方。因此，按摩的时候不能单凭足下的反应来判断病情，还要结合本人的感觉和不适等主诉来断定。不痛既可能意味着没毛病，也可能意味着病得很重，经络已经阻塞，到不了足底。

例如一个胃溃疡患者，平时反酸、嗳气，饭前疼痛非常明显，在做足疗的时候相应的区域却一点没感觉。此时查看该区有哪些经络经过，逐个向上一个个穴位排除，后来发现是足阳明胃经的穴位已经阻塞，这个穴位下的反应点都没有感觉。经过按摩疏通后，该穴位及足底该区也开始能感觉到疼痛了。这说明风筝线一度从中间断了，当接好后，就可以从线轴再次调控风筝了。

这个道理不仅仅应用于足疗，其他各种利用全息遥控治疗的方法都是一样的道理。

求医录

一堂问：

我想问的是"足底反射疗法"和"经络穴位按摩疗法"的区别与联系。足底内部有相应穴位，穴位一般沿着骨头或骨间膜，也有相应的反射区，是一块一块的，两者是否有联系呢？虽然两个方法都很有效，但我个人操作足底反射区按摩时为什么没有感觉呢？

中里巴人答：

您的问题提得非常好，但涉及的知识较多。足底反射和穴位之间确实有着互相交错的区域，当您熟悉了经络的走向时，您就会更加理解反射区的实质含义。拿胃经反射区来说，它的位置正好在肝经和脾经循行路线之间，这就启发我们：胃的问题根源通常是肝脾不和造成的。还有就是反射区相当于经络中的络脉部分，而穴位都是在经络的经上，如果反射区不敏感，而穴位敏感，通常是气血不够充足，也可能是病灶点本身只是在经络的位置上，而没有在脏腑的深层，只是经络不通而已。您能自行探究问题的根源，并身体力行与大家共享体会，实在难能可贵。在此向您致谢。

装在套中：

在不同的城市都做过足底按摩，多是为了缓解腰腿酸痛的症状去的。发现足底按摩师多是经过1个月左右的简单培训就上岗的，他们很难真正地给人探病。比如您提到的这个理论——"疼痛的轻重并不一定跟病情的轻重成正比"，对他们很多人来说，可能就是闻所未闻呢！毕竟他们都是以盈利为主要目的的商业化运作。如果我们对自己的身体有大致的了解，带着问题去做足疗，请他们对我们指定的部位重点关照，也许是一个好办法。不过，这个好难！越来越发现把自己交给没有医师资格的美容院、保健中心来调理，是一件很不靠谱的事了。不知这是一种因为知道一点皮毛之后的进步，还是一种束缚了！

蘅：

关于足底按摩的手法和顺序，我读过的一本书里推荐过一种方法，觉得蛮不错的。就是用热水泡脚，在盆里放一些玻璃弹珠之类的东西，用它们来按压相关的反射区，既能促进血液循环，提升整体的健康水平，又可针对性地强化某一脏器，而且操作极为简单。有些朋友担心方法不对会引起副作用之类，我觉得不必多虑。按摩不比吃药，是药三分毒，而按摩只要力度不太重，一般不会有什么副作用。操作的时候只要凭着直觉就好了。试想，当你磕痛膝盖的时候不由自主就会用手揉，这时需要别人告诉你要用多大力，揉多长时间吗？借先生的一句话，自己就是最好的医生。

11. 学中医的入门之法是足底按摩

> 足底反射疗法非常好学，它把人的脚当作一面镜子，人体的五脏六腑便都在这面镜子里了。当身体里脏腑器官发生问题时，这面镜子就以痛感或其他的方式显示出来，然后按摩这些敏感部位，疾病就解除了，就这么简单。对于有些疾病，足底按摩法独领风骚，立竿见影。

很多朋友对中医很有兴趣，但不知从哪里入门，中医书也看了不少，可越看越觉得玄奥，仿佛身陷于汪洋大海之中看不到航向，慢慢地也就敬而远之了。其实，中医离我们很近，也很亲切，学习中医需要的主要工具——经络和实验场所，就在我们身上，唯一欠缺的只是一些正确的理念和使用工具的方法。一旦迈进了这第一道门，后面便可触类旁通、游刃有余了。

市面上讲解中医经络的图书很多，写得也并不深奥，为何一般人学习起来仍然是一头雾水呢？关键是我们想学的东西书上没写，而他写的东西又通常是我们不感兴趣的。我们花了很多时间和精力学了一堆花里胡哨的名词，一碰上实际的病症却无所适从，百无一效。这样一来，谁还有兴趣再学下去呢？

那么，怎样才能学到切实有效的真东西？什么事情你相信它真的有用才会想去学它。中医里面有阴阳五行、子午流注、藏象学说，这些是中医的核心和精华，但是却非入门之径；且很多人对这些理论将信将疑，所以在开始学的时候不要去学这些东西。大鱼大肉蛋白质虽然最多，营养丰富，但对于哺乳期的婴儿无异于毒药，因为他根本无法消化吸收。我推荐大家可以拿足底按摩来当学习中医的入门之法。这种方法虽然不是正统的中医疗法，却与经络学说有着紧密关系。

大家都会觉得少林拳法博大精深,难于修练,那就先练练跆拳道,感受一下搏击的气息,不无裨益。

足底反射疗法非常好学,它把人的脚当做一面镜子,人体的五脏六腑便都在这面镜子里了。当身体里脏腑器官发生问题时,这面镜子就以痛感或其他的方式显示出来,然后按摩这些敏感部位,疾病就解除了,就这么简单。对于有些疾病,足底按摩法独领风骚,立竿见影。比如,我认识的一个中年女性,常年被泌尿系统感染所困扰,只要一去游泳就会诱发,而她又非常喜欢游泳。我告诉她要经常按摩一下淋巴区。不久她便打来电话说,只按摩了几次,困扰她多年的泌尿系统感染便完全好了。这样的事例很多,而且以后大家也会有更好的事例。

我为何如此推崇足底反射疗法呢?首先,它和经络学说有着互相印证的关系,是点和面的关系、平面和立体的关系。而且,它极为简单易学,需要的不过是一双手和一张足疗的挂图,比学习中医基础理论要容易有趣得多。有人问,我想学习的是正统的中医,这岂不是旁门左道?其实,什么又是正统呢?"正统"就像是个黑色的铁框,你可以在里面,也可以在外面。学习中医,思想必须开放,不要自定界限。"是法平等,无有高下",只要拿来好用就行。

有兴趣的朋友们,现在咱们就开始学习了,对着足底按摩反射区的图反复试验,然后将你的体会和问题拿来大家共同分享,互相答疑解惑,不要只是我在这里一言堂,总是一种枯燥的声音,恐怕大家都要昏昏欲睡了。

12. 一学就会、一用就灵的5种中医防病法

> 有病去医院是必要的措施，但没病防病才是真正的明智之举。如何防病呢？一定要有一些简单有效的招数才行。我推荐几个让大家一学就会而又效果显著的方法。

现代人最大的困扰之一就是健康问题。周围总是会有生病的人，父母、孩子、兄弟姐妹、丈夫妻子、挚友近邻，或者是我们本人。很多人在一年甚至是一生当中总是难以摆脱疾病的阴影。家里只要一个人有病，整个家庭都会愁云密布，难有欢笑。我们往往爱莫能助，只能听从医生的处置。我们眼睁睁地看着至亲至爱的人受罪而无能为力，这真是太可悲了。其实，在疾病面前，我们不是听天由命的弱者，而是大有可为的主宰。

有病去医院是必要的措施，但没病防病才是真正的明智之举。如何防病呢？一定要有一些简单有效的招数才行。我推荐几个让大家一学就会而又效果显著的方法。

一、刮痧法

之所以向大家先推荐刮痧法，是因为它的防病功效最为显著。刮痧是正统中医六法中的第一法，擅治轻浅之患，是治疗疾病初起的首选方法。但凡对感寒、中暑、受风、突发的肠胃病、颈椎病、肩背痛、皮肤病（忌刮患处）等等新发急发之病，都有应手之效。操作也极为简单，只需一块牛角板、一瓶刮痧油（精油也可），循着受损的经络，以和皮肤45度以下的角度，轻轻刮拭即可（刮痧之法我另章详论）。刮出的痧点旁观者看着吓人，当局者只觉爽快，且不影响洗澡。几天后

便被新鲜血液吸收，随尿排出体外了。

二、拔罐法

俗话说"针灸拔罐，病去一半"，其在老百姓心目中的地位和其确切的疗效可见一斑。各大洗浴中心和按摩场所也都将其视为保健项目。我建议想学拔罐的人最好买枪式的塑料罐，不用点火，很方便。拔罐适合什么样的病呢？拔罐治疗虚证效果最好，尤其治疗肾虚引起的腰酸痛最快，通常可在患部直接拔罐，即时见效。还有就是针对刮痧刮不到、疼痛位置较深的患部，如慢性肩周炎、痛经、肝胆疾患等。

拔罐更好学，只要准备一套8个以上的真空罐，再有一张经络图就行了。没有什么严格的禁忌，只是注意湿气较重的人很容易起疱(尽管起疱疗效更佳，但很多人会望而生畏)，所以拔的时间不必过长，也不必拔得太紧。

三、足底反射疗法

如果拔罐、刮痧都不想学，而能精通足底按摩，那么70%的常见病照样可以应对有方。足底疗法的神奇功效一直没能充分彰显的主要原因，是专业的医者不屑于此，从事此项疗法的又通常是对医理一窍不通、只是经过简单手法培训的技工。这么充满随机个性的疗法，却变成了千人一面的"套子活"，真是可悲！诸如心脏供血不足、胃肠疾病、肝胆病、糖尿病、泌尿系感染、各种炎症，都是足底反射疗法的适应证。我曾告诉一个14岁脑瘤手术后遗症的男孩去按摩足底反射区一个黄豆粒大小的位置，他坚持按摩了两个月，使医院已经判定永远无法再睁开的左眼完全恢复正常。一个小小的反射区，换回了他一生的幸福。

四、经络点穴法

这种方法也简单易学，只要大概知道经络的走向，再了解一下常用的二十几个穴位，什么胃肠病、头痛病、感冒、痛经、心绞痛，都能有应对之法，不会临阵束手无策。经络点穴法是很有效的，其功效不亚于针灸（学东西要先有信心才行）。

举一个实例。一日楼里的电梯坏了，只好爬楼，在三楼看见住在6楼的张大爷，右手提着菜篮，左手扶着楼梯把手，脸色苍白，喘不上气来。我知道张大爷的心脏不好，便抓起他的左手，在其手心"劳宫穴"上点揉了一分钟，张大爷长出了一口气，说心里舒服多了，和我有说有笑，一气上了6楼。似此等应手而愈的情况，我碰到很多，希望能给大家增强信心。

五、导引法

此法类似西方的顺势疗法，但理论上更加全面，操作更加安全。如感冒了，可刺激鼻孔多打喷嚏来驱走风寒；拉稀了，可促其排泄来清除瘀积。呕吐助其呕，发烧助其热，煽风点火，顺水推舟。但操作需审症清楚才可，所以在此并不提倡大家用此方法，说出来是增加一下大家对传统医术的了解，以提高学习中医的兴趣。

13. 熬了夜要吃这些药去补

> 这些补救之法，只供世界杯期间暂用，起些亡羊补牢之效，不可恃此长期熬夜。否则，我这补救之方反成害人之药了，罪过！

世界杯期间天天熬夜看球，身心俱疲，体重也降了好几斤，整日处于半梦半醒之中，深感吴清忠先生倡导早睡觉的良苦用心。又见电视台报道因看球伤身体，感冒、消化不良、失眠、心脏病、高血压、无精打采的人堆满了医院的急诊大厅。以前都好好的，一看球就病了，唉！都是熬夜惹的祸。

夜里是人们长气血的时间，也是肝脏工作的时间，对人体的健康极为重要。但4年一遇的世界杯亦难以割舍，人生能有几回搏，那惊心动魄的场面对心灵的震荡似乎让我们永远能找到年轻的感觉。健康与激情，鱼与熊掌是否可以兼得呢？我在此提供一些补救方法，给那些和我一样缺乏理性自制的朋友们以暂时的慰藉。

从经络上讲，夜里11点至凌晨3点乃胆经和肝经的流注时间，此时肝胆经气血最旺。但这些气血是用来进行重要的人体代谢工作，如果挪为他用（如过多地供应给大脑、四肢或肠胃），人体推陈出新的工作就无法正常完成，体内陈旧的废物不能及时排出，新鲜的气血也无法顺利生成，所以对人体造成的危害很大。

肝开窍于目，夜里看电视、电脑最耗肝血，白天就会两目酸涩、脾气暴躁。如果再吃点夜宵，喝点冰镇啤酒，把供应给肝的气血抢到胃来消化食物，就会造成肝胃气血都不充足，两相损害。

补救的方法有：

怕热口渴、无厚腻舌苔者，夜服六味地黄丸。

若眼易酸涩难睁，服石斛夜光丸、石斛明目丸、明目地黄丸、杞菊地黄丸皆可。

若心烦躁热难睡，服一粒牛黄清心丸。

若心慌气短难睡，服一瓶盖柏子养心丸。

若喝冰镇啤酒，需与大枣同服。大枣性温，可祛胃寒，又能解酒毒，还可养血安神、润肠通便。

若同时又吃肉食，可服加味保和丸，白天常服些参苓白术丸更妥。

若属于气血虚、面色苍白、畏寒怕冷的，夜里可服十全大补丸、桂附地黄丸。

若大便无力、心慌气短的，可服柏子养心丸、补中益气丸。

晨起体倦无力、口干咽燥者，可服人参生脉饮，也可常含服些质地好的西洋参。

这些补救之法只供世界杯期间暂用，起些亡羊补牢之效，不可恃此长期熬夜。否则，我这补救之方反成害人之药了，罪过！

求医录

www 问：

我老公今年才32岁，痰挺多，那张嘴就不闲着，除非在吃东西。晚上睡觉磨牙，有白头发。这是什么毛病？

中里巴人答：

这个问题可以从脾胃论治，因为"脾为生痰之源"。若有饭后腹胀的情况可服用加味保和丸，在平日里常吃些参苓白术丸，可健脾消痰。若爱吃肉，需在食后加服大山楂丸。磨牙多由气郁不舒或精神紧张造成，可吃些逍遥丸以健脾舒肝（此药常被误认为是妇科专药），还可经常吃点白萝卜通通气，"气顺痰自消"。

14. 预防、治疗一切中老年疾病的金鸡独立法

> 曾将自己想像成是一个冲浪运动员，想像自己在惊涛骇浪中起伏跌宕的感觉，充满激情，一会儿就会浑身出汗。

身体有病，中医认为是阴阳失调，不平衡，但是这个概念太过笼统，细分之可以理解为五脏六腑之间相互谐调的关系出了问题。有些人罹患的是肢体病，似乎也需归于五脏六腑与四肢百骸之间的不和谐所产生。如此推而论之，问题就会变得越来越复杂，没有点中医知识的人就很难理解。所以，有没有一种简单有效的方法可以直接来调节身体的平衡呢？答案是肯定的，而且是出乎意料的简单易行，那就是金鸡独立健身法。

只需将两眼微闭，两手自然放在身体两侧，任意抬起一只脚，试试能站立几分钟，注意！关键是不能将眼睛睁开。这样你调节自己的平衡就不是靠双眼和参照物之间的协调，而是通过调动大脑神经来对身体各个器官的平衡进行调节。在脚上有6条重要的经络通过，通过脚的调节，虚弱的经络就会感到酸痛，同时得到了锻炼，这根经络对应的脏腑和它循行的部位也就相应得到了调节。这种方法可以使意念集中，将人体的气血引向足底，对于高血压、糖尿病、颈腰椎病等诸多疑难病都有立竿见影的疗效，还可以治疗小脑萎缩，并可预防美尼尔、痛风等许多病症。对于足寒症更是效果奇佳。这是治本的方法，所以可以迅速地增强人体的免疫力。

有朋友说，金鸡独立现在一站能5分钟脚不沾地，觉得有些枯燥，不想练了。

其实，金鸡独立我们可以练得有声有色、乐此不疲呢！

记得我当初练此功法，曾将自己想像成是一个冲浪运动员，手里也虚拟着（想像着）攥着一根绳子，有意将身体倾斜，闭上眼，想像自己在惊涛骇浪中起伏跌宕的感觉，充满激情，一会儿就会浑身出汗。如果再加上一些你喜欢的音乐就更加趣味盎然了。

求医录

难集中问：

集中意念对我来说似乎特别难，脑中总是会想东西，通常是流行歌曲，而自己其实已经很少听流行歌曲了。不知道有没有什么方法可以让人的意念很好地集中？

中里巴人答：

精神能集中到流行歌曲上也是很好的，那就哼着或听着流行歌曲练习金鸡独立。这是最练精神集中的运动，不用你去强迫自己精神集中，而是这个运动只能在精神集中的状态下才能完成。

手冰冰问：

自从练了金鸡独立后脚没以前那么冰冷了，但手还是像以前那样冰。有什么办法可以练手吗？

一堂答：

你用力地拍巴掌，拍得越响越好，可以增加阳气，一会儿全身都热了。人觉得手掌冷重点在10个指尖！所以锻炼重点也在指肚与指尖。分享我的方法，应该很快手就热起来：先十指指肚相对，用力挤压双手3下，再十指交叉转动手腕3下，十指交叉掌心朝外用力外推上推3下，再握着10个指头各揉摩3下（很重要），揉摩两手腕3下，揉摩肘弯3下，完毕。3下不是定的，可多揉多做。没事多敲敲10个指肚。漏了一个动作：十指指甲根部左右掐掐，也是3下。活血气，很重要。

糊涂：

通过练习老师所教的方法，确实是很明显地快速提升了体质。尤其是金鸡独立，练习了一段时间，即便在寒冬也很少出现较重的感冒，的确起到了立竿见影的效果。

林真子：

金鸡独立真的很受用，练了两次之后手脚冰凉的感觉就没有了。还有，我的腰受过伤，怕凉，每天磕头30个，做了3天，腰酸痛的感觉也没有了，而且现在能够正常用脑工作了。真的很感谢先生！

15. 玫瑰的激情——补肾最强法

> 这个功法动作简单，看似平常，但若是掌握了其中的心法要诀，那真是"补肾之峻猛，强身之迅捷，无出其右"。这是现年86岁、仍能以一敌五的太极拳名家、我的恩师李宝良先生的养生秘法。

周日一早，我便接到快递公司打来的电话，说朋友有包裹送给我，我告诉对方我的地址，他们说马上送到。大约一个小时以后，我打开门，迎面的是一位身着职业裙装、怀抱一大捧红玫瑰的漂亮女孩，她说："您是郑先生吧，这是您朋友送给您的花，请查收。""送我的？"我惶惑地看着对方，没敢接。"对了，还有一封信。"她从花束中拿出来递给我。我连忙打开看："亲爱的郑老师，我们不怕扎伤手指，亲自为您挑选了22朵最好的玫瑰，祝您健康幸福、好运常在——您的粉丝们。"

我的心突突直跳，脸也涨得发热，手也有点帕金森似的接过了这火红的玫瑰。年近不惑，这种少男少女才有的激情心动真是久违了。

回到屋里左思右想，想不出是哪位朋友对我的厚爱，但真得谢谢她，让我瞬间年轻了20岁。一个小时后，心情慢慢地平静下来，想起刚才的失态不禁哑然失笑，但心里仍是很温暖的感觉。

朋友的支持就是最好的动力，粉丝们让我年轻，我也得给朋友们回赠点最好的东西，才是礼尚往来。这里就给大家介绍一种很棒的健身运动。这个功法动作简单，看似平常，但若是掌握了其中的心法要诀，那真是"补肾之峻猛，强身之迅捷，无出其右"。这是现年86岁、仍能以一敌五的太极拳名家、我的恩师李宝良先生的养生秘法。8年前，我有幸被恩师收为关门弟子，口传心授了一套老人家独创的养生绝学，真是受益无穷。不过恩师也再三叮嘱："医不叩门，道不轻传。"

不知今天被这 22 朵玫瑰引出的冲动，会不会遭到恩师的署责。

其功法动作：直立，两脚分开与肩宽，双臂上举伸直，在脑后交叉，此时小腹略向前倾，双手尽量向上伸直后压，所有力量、意念集中在腰椎。然后力量从腰椎发出，令两臂以最大弧度从脑后向身体两侧压下来，同时下蹲，两手最后在两膝间交叉。结束时意念集中在前脚掌 5 秒钟，脚后跟不可离地（在两臂向两侧下压时，胳膊不使一点力量，完全是腰在用力）。再站起时，前脚掌先用力，作为起动能量；紧接着将所有力量、意念再次集中在腰椎，两腿不要用一点力量，逐渐站起。两手一直交叉，从胸前直上头顶到脑后（站立过程中身体头脚在后，小腹向前，身体呈弓形）。

呼吸方法：身体下蹲的整个过程呼气，身体向上站起的整个过程吸气。在呼吸转接时略屏息两秒钟（最好用腹式呼吸法）。练习多长时间应根据个人体质而定，以不觉疲劳为宜。练后很多人会觉腰酸，需要用两手攥空拳，轻轻捶打后腰。

通常练两分钟就会浑身微汗、脚掌发热。有人会打嗝、放屁。至于长期效果，大家自己去感受吧。如出现腹痛，腰酸等不适症状，可按摩复溜、太溪穴，很快可解决。如果再配合金鸡独立一起练，那就更妙了。

有什么难的，还堪称是什么秘诀！许多人会有这样的感叹。但这确是心法，就跟哥伦布能将鸡蛋立在桌上一样的简单。其实是一层纸，但对很多人来讲，却永远是一座山。

■ 求医录 ■

Raysoem 问:

蹲要到底吗？还是蹲到半蹲即可？整个过程中，两手不会要握在一起，只是两臂就交叉吧？

中里巴人答:

分两步说吧：一、站立，蹲下，再站立。整个过程只用腰和脚掌用力，不许用腿。二、两臂交叉上举过头，从脑后向两腿侧分开，整个过程也用腰力，不用两臂和肩膀。两手始终不交叉（如果不懂这句话，就买一个拉力器，从脑后把它拉开，就找到感觉了）。如果只看懂一步，就先练一步。还可按您自己理解的来练，不必拘泥，最后也就真正成为您自己的东西了。

花香沁人问:

1.我全身都怕冷，尤其是下肢，就是夏天也是很怕冷，不敢吹风，也不敢穿裙子。大腿上边的两侧（也就是敲胆经的地方）经常冷得感觉不停地有风在那个地方刮。

2.晚上能入睡，但总是做很多噩梦。以前晚上12点钟睡觉，早上觉得起床困难，没睡够。现在改成了10点睡觉，早上就很容易起床，中午也不怎么想睡午觉。睡觉的时候很容易醒。

3.经常便秘，有时候三四天都没有，有时候是先干后稀。先前吃香蕉管用，现在不管用了。

4.10根手指和10个脚趾总是木木的，不是麻，是木。感觉摸东西的时候带了一层膜一样，很容易就冰凉冰凉。

5.脖子朝前、朝后、朝左、朝右都很痛，动一动感觉骨头很响。朝后仰的时候感觉背部右边连着一块痛。

请问，这么多毛病，每一个症状都是什么原因？我想先解决做噩梦的问题，因为年龄不小了，想要生小孩，觉得这个问题可能会影响到下一代，希望得到指点。

中里巴人答：

您有些脾肾双虚。若脾气急躁或有抑郁倾向，可能还有些肝气瘀滞。按按您的太冲（肝经），若是很疼的话，您就找到您睡眠不好、多梦的原因了。睡前泡脚和按太冲往行间穴（参见"身无'三浊'一身轻"一文），可以帮助解决睡眠问题。若2点多醒来心悸、出汗、躁热，可以睡前加按心包经胸前穴位。补脾胃就用山药芡实粥配合推腹法。多做"玫瑰的激情——补肾最强法"里的补肾功法，按复溜到太溪。怕冷，就利用这个季节多吃肥牛火锅、羊肉、牛肉、配上大量蔬菜，饭后再吃山楂丸1~2个，这对健脾胃和提升气血很有帮助。也可以自己多做清炖牛肉，多加些姜。另，螺旋藻对改善怕冷也有很不错的效果。

我心飞翔问：

我的小腿特别怕冷，现在开始按摩脚踝上面这部分特别疼，请问老师，是肾脏有问题吗？另外，我的脚后跟感觉冻得疼，嗓子也干，吃了同仁堂的金匮肾气丸感觉头疼，手指也觉得有些凉，但不厉害。这是什么原因？

Jnc答：

您有典型的腰膝酸软、畏寒怕冷吗？单纯下肢怕冷的原因很多，不一定就是肾阳虚。经络血流有瘀滞也可以怕冷，或有旧伤也可怕冷。若您确定是肾阳虚，可以换用桂附地黄丸。不过不太主张吃药解决，因为您现在腿上寒气比较重，吃温补的药热被寒气阻挡，下不到腿上，过了反而会上升冲击头部，造成头疼。目前您最好按照经络图，看看腿上哪条经络按着反应最大就按摩，把痛的瘀滞揉开，还可以配合从大腿向下敲这些经络，以引血下行。若想补肾可做做"激情玫瑰"里的补肾功。腿脚冷，做做金鸡独立也是最好的方法。

蓝蓝月儿问：

我做推腹功的时候确实上下都排气了，在肚脐下面1厘米处有一个横着（一摸达5厘米左右）的硬块。开始我还想是不是人人都这样呀，后来越读您的文字越觉得好像还是自己那里有问题。我26岁，脸上刚又长有非常红大的青春痘，看来是在胃和小肠经通过的地方。肚子其他地方也有水槽什么的，但好像都能弄掉，而这个硬块好像非常非常坚硬，一按非常疼，这怎样化解呢？

中里巴人答：

先按到不疼了再说。

果儿问：

我一般都是手脚温热，而四肢和身体总是凉。像在夏天时，热了就出汗，但是出了汗后身上仍然是冰凉的，有时摸起来就感觉能冰到手心里去。不知这样算不算正常？最近一段时间，不知是否受办公室空调的影响，左侧后腰部总是觉得好冷。请教老师，像我这样的状况，一般是什么原因引起的呢？该怎么注意呢，是否多运动运动就行了？

Jnc答：

脾虚、寒气太重，还有膀胱经也有寒气，你说的好像是命门位置，说明肾有些阳虚。多做推腹和"玫瑰的激情——补肾最强法"里的补肾功法，假以时日会有改善。平日也要多吃些补气血的食品，如牛羊肉、姜、桂圆、大枣、螺旋藻一类的。若无盗汗、虚火，可以吃些十全大补丸以辅助调理。可常喝些淮山药薏米粥以补脾胃。可以做些轻度体育锻炼，如快步走、慢跑。若本来气血就很差的话，建议只做快步走和太极拳类的不太剧烈的有氧运动，以利气血增长。若平时就怕冷，疲倦懒动，就说明气血不够，不要从事"奢侈"的体育运动，以免白白耗费气血。

玫瑰的激情问：

这个功法的重点是在锻炼腰椎部位上，我的理解就是：站起伸个懒腰，蹲下再站起伸个懒腰，再配合一点呼吸和两手交叉就是了，我起名曰"伸懒腰功法"。

中里巴人答：

　　说对了，从头到尾都是腰在用力，胳膊和腿尽量少用力，意念集中在腰上，蹲下时集中在前脚掌，脚跟不要离开地面，这样腿和胳膊就不会疼了。

　　咱们再给它简化一下，分两步说吧：一、站立，蹲下，再站立。整个过程只用腰和脚掌用力，不许用腿。二、两臂交叉上举过头，从脑后向两腿侧分开，整个过程也用腰力，不用两臂和肩膀，两手始终不交叉（如果不懂这句话，就买一个拉力器，从脑后把它拉开，就找到感觉了）。如果只看懂一步，就先练一步。还可按您自己理解的来练，不必拘泥，最后也就成为您自己的东西了。

　　双手上举到头上时，掌心是向前的；从头上向下时，掌心是向下的；到膝盖时，掌心是向内的。但是，从始至终意念都不在手掌上，而是在腰上。

16. 生气就按"消气穴"

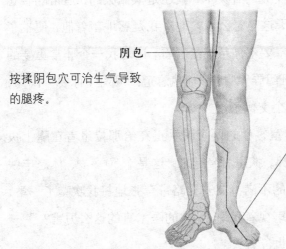

阴包

按揉阴包穴可治生气导致的腿疼。

太冲

揉太冲穴既可解郁散结，又能舒肝健脾，对于爱生气的人来说真是个法宝。

> 你一会儿说阴包穴能消气，一会儿又说太冲穴能消气，到底用谁来消呀？这让我很难说清，借用刻舟求剑来略说一下：病已变矣，而穴不变，治病若此，不亦惑乎？其实，哪个穴又不能消气呢？

那年8月去香港出差，顺路去拜访了一位同道。他是3年前从内地去香港开私人诊所的文安兄，由于用针灸治好了一位香港富豪的风湿痛，富豪便出资在香港为他办了一个诊所，据说在当地已小有名气，来就诊的也都是些有钱的商人。他的诊所是坐落在山间的一幢二层小楼。在香港寸土寸金之地，这样的格局可谓是身价不菲，里面的装潢更是古色古香，真有点山林隐客的味道。

文安兄急匆匆出来相见，又急匆匆消失了，让他的助手陪我在客厅喝茶。我感到自己来得不是时候，正准备起身告辞，文安兄又急忙忙跑了进来，并连连致歉，说怠慢怠慢，晚上一定请客谢罪。我打趣道："病人多得都要跑步来治了。"他说："就一个腿疼病人，我这半天还没搞定呢！"对于文安兄的针灸术，我还是很佩服的，通常的腰腿痛，一针就能有效。今天这是怎么了？他看我疑惑地望着他，便拍了拍我的肩膀，说："老弟，要不你帮忙给看看，这是我一个非常重要的客户。"我说："我哪敢班门弄斧呀！"他执意道："哪里，你要一出马，我对这老主顾也算是有个交代了。"

于是他把我引进诊室，他的两个助手正在给那位患者在腿上拔罐。我让他们把罐先去掉，扶患者坐起来。这是个50多岁、体态丰腴的妇人，此时已是一脸的不满。文安兄略带夸张地将我吹嘘了一番，那妇人用极锐利的目光审视着我说："你的医术真的这么厉害？"一脸的不信任，一丝笑容也没有。

我很少碰到对我这么无礼的病人，我笑着对她道，"您又不是什么大病，不用那么高的医术。"她说："你能知道我有什么病？"我显得一脸轻松，微笑着对她说："摸了脉就知道了。"

她此时脸上的肌肉略微缓和了些，伸出手来让我号脉。摸其肝脉弦紧如绳，肾脉却细涩无力，而肺脉、膀胱脉皆浮紧有力。我胸有成竹地对她说："您的病从表面看是腿疼，但根源却不在腿，而在肝，必是您先生气，再受凉，腿才疼的。"

她听我这么一说，脸上立刻堆满了笑容，连连拍手说："对呀，对呀，我昨天下午与我的合伙人大吵了一架，气得我晚饭都没吃。夜里睡觉时心里发热烦躁，我就把空调开得很大，早上就这条腿冰凉，后来就痛得走不了路了。不过刚才安先生也说我是受寒了，可扎了半天针也没用呀，还给我拔罐子，越拔越疼。"

我说："安先生扎的穴位都对，只是他没想到您是个爱生气的人，所以没给您扎'消气穴'。"

"还有'消气穴'？太神了，在哪儿？"这厉害的妇人此时像个好奇的孩子，拉着我的手让我快指给她看。

哪里有什么"消气穴"，我给她找的是大腿内侧的阴包穴。我对她说："您一生气，肝就紧张，也就是通常说的肝火旺，同时整条肝经都会弦紧拘挛起来。肝火一起，火性上炎，气血便不下行，腿上没有充足的气血抵御风寒，则空调冷气乘虚而入，所以腿就疼了。因此要治腿疼，只要推开肝经上的郁结让气血下行就好了。"

于是我让她先摸到"消气穴"，发现这里有一段硬结。我用手掌顺着肝经从大腿阴包穴轻轻往下揉推。一开始推她疼得直叫，可两分钟以后她就说一点也不疼了。我让她下地走一走，她走了两圈，还做了个下蹲，都一点不痛。此时她已是满面春风，还极力邀我去她家做客呢。

我谢绝了她的好意，将她送走，回到客厅和朋友叙旧。文安兄对我的治疗仍有些不解，问我道："我刚才给她扎的都是通经络祛风寒的，甚至用上了'烧山火'的绝招（针灸中一种能使机体迅速发热的手法），可她小腿还是冰凉。你一揉阴包穴，她马上脚都变热了，这到底是怎么回事儿呀？"

我边用手比划边对他说："她小腿冰凉，是因为她气血下不来，瘀阻在肝经，你强通膀胱经只会让她经脉更紧张，即使加上足三里补气血也补不上。就像一根绑紧的绳子，你越使劲拽它它就越紧，必须要找到绳扣才行；这阴包穴就是绳扣，所以一揉，所有的经脉就都松开了。"

晚上我和文安兄到酒店痛饮了一番，他在异地难得遇到知己。他说："我的病人里得肝病的很多，兄弟有什么好的方法吗？"我举起酒杯对他说:"少喝酒,别生气,就是最好的方法。"

记得吴清忠先生在他的《人体使用手册》中强调大家要多揉肝经的太冲穴,这真是金玉良言!揉太冲穴既可解郁散结,又能舒肝健脾,对于爱生气的人来说真是个法宝,它才是真正的"消气穴"。我这样说有人会很困惑:你一会儿说阴包穴能消气,一会儿又说太冲穴能消气,到底用谁来消呀?这让我很难说清,借用刻舟求剑来略说一下:病已变矣,而穴不变,治病若此,不易惑乎?其实,哪个穴又不能消气呢?

■ **求医录**

清风明月问:

我向来比较怕冷,冬天容易手足冰冷,最近两年秋冬又经常口干舌燥。特别是早上起来口干的感觉特别明显。容易生气,脉缓且偏弱,睡觉有时要流口水。大便干结。这种情况下适合吃杞菊地黄丸吗?桂附地黄丸呢?该怎样调整身体呢?最近便秘更加严重了,是否应该停了杞菊地黄丸,改吃补中益气丸,请老师明示。

中里巴人答:

杞菊地黄丸对您不太适合,先别吃了。上午可吃一袋补中益气丸,下午和晚上临睡觉的时候各吃一袋参苓白术丸,早上口渴的时候就吃桂附地黄丸,可按说明量加一倍服用。平时若爱吃大枣,可随意多吃。若还有肚胀的问题,可在肚胀时服用加味保和丸。这样我想您的便秘问题很快就会解决的。若经常爱生气,就在生气后服用逍遥丸,这样气很快就消了。但最好还是别生气,生气最易使人长斑和衰老,还是清风明月天地宽吧!

爱生气问：

我眼睛有点酸痛，我想应该是上火了。每天尝试按摩太冲穴，时间还挺长的，但效果不太明显，先生是否有其他祛火的方法？

中里巴人答：

可以按摩颈后胆经的风池穴、三焦经的中渚穴、小肠经的养老穴，效果都很好。

17. 六味地黄丸不是补肾的通用专方

> 六味地黄丸是宋代幼科（儿科）专家钱仲阳专门为小儿先天不足准备的一剂良药，用以治疗小儿五迟之症（立迟、行迟、发迟、齿迟、语迟）。现在大人们争先买来补肾虚，甚至有很多人竟把它当成了壮阳之品经常服用，从此，小儿们的药典中便再也找不到六味地黄丸了（哪位家长敢给孩子吃呀），六味地黄丸似乎成了补肾的通用专方。

不久前，一个朋友告诉我，她的同学因常年在医院值夜班缺乏睡眠，结果10多年不见，最近变得虚胖、脸色苍白、嘴唇无色、眼圈发黑，医院一查血色素变成了7.1克，典型的贫血。她结婚几年了，很想有个孩子，就去医院看病；那里的医生给她开了六味地黄丸，说她老怀不上可能是因为肾虚，需要补补。朋友得知后就来问我可行不可行。她这个同学虚胖、脾胃不好、贫血，应该考虑从脾胃治疗，改善睡眠，以解决贫血，此时六味地黄丸是解决不了她的问题的。借此话题，我来讲讲这几种叫人分不清的地黄丸吧！

受广告的影响，很多人都觉得自己肾虚，要补肾，人们不约而同地想到了六味地黄丸。其实六味地黄丸是宋代幼科（儿科）专家钱仲阳专门为小儿先天不足准备的一剂良药，用以治疗小儿五迟之症（立迟、行迟、发迟、齿迟、语迟）。现在大人们争先买来补肾虚，甚至有很多人竟把它当成了壮阳之品经常服用，从此，小儿们的药典中便再也找不到六味地黄丸了（哪位家长敢给孩子吃呀）。六味地黄丸似乎成了补肾的通用专方。

其实，名声显赫的六味地黄丸并不是万灵丹，它有非常严格的适应证，只适于阴虚有热之人，所以是肾阴虚常用的一副药。你可能分不清阳虚阴虚，其实判断肾阴虚只要记住它最明显的特征：口干舌燥、总想喝水，同时还伴有头晕目眩、腰膝酸软、失眠心烦、睡觉出汗、手足心热、脑空耳鸣等症状。这么一界定，能吃此药的人就不多了。

哪些人不太适合此药呢？畏寒怕冷、不喜饮水、睡觉流涎、痰多湿重之人，尤其虚胖的人、脉缓之人（除了运动员），基本上都是湿寒体质；咳嗽痰多，痰色白而清稀，容易咯出，并伴有胸脘满闷、呼吸不畅、纳差食少、身重困倦、舌苔白腻、腹胀消化不良的人，就更不适宜了。

总之，此药无半点壮阳之力，（肾、脾）阳虚之人绝对忌用；肝火过旺之人服此药犹如火中添柴，亦不适宜。平常体质的人，不寒不热，想用此药补一补也未尝不可，那就需在空腹饥饿时或口干欲饮时再吃此药，最易吸收且有益无弊。

此药还有一些主要管肾阴亏虚的"兄弟姐妹"：

1.杞菊地黄丸、明目地黄丸

两药功效相似，后者祛肝火的功效略强。

主治肝肾阴虚所致的眼睛干涩、迎风流泪、视物不明，还有防治高血压的功效。

2.麦味地黄丸

在六味地黄丸里面加上了麦冬（润肺、滋阴、祛心火）、五味子（纳气、平喘、止咳嗽）两味药。

主治肺肾阴虚之咳喘（久咳气喘，痰少而咳或干咳无痰，伴有腰膝酸软、气短无力、动则出汗、时发低热）。还有就是，经常讲话太多、咽喉干燥、咳嗽无痰之人（慢性咽炎）也可选用。

3.知柏地黄丸

在六味地黄丸里面加上了知母、黄柏两味祛火药，以治疗肾阴虚而又火气偏盛的人。和六味地黄丸的区别是，在六味地黄丸适用的症状基础上还有头晕耳鸣、咽干腰酸、小便黄赤或浑浊、尿频数而热痛。这是知柏地黄丸的主症，特别是小便黄赤。

4.耳聋左慈丸

即六味地黄丸加上磁石、石菖蒲、五味子。

主治耳内常闻蝉鸣声（耳鸣），夜间更甚，听力渐差，伴有心烦失眠、头晕眼花、腰膝酸软、遗精盗汗等症状，适合阴虚型的神经衰弱患者。

下面再谈谈治肾阳虚的成药。

金匮肾气丸（桂附地黄丸）：即六味地黄丸加上肉桂、附子两味大热强阳之药。由于加了两味补肾的热药，许多中医师便把它当成了治疗阳虚的法宝；只要患者说自己怕冷畏寒、手脚冰凉、腰膝冷痛，或阳痿早泄、倦怠乏力，那十有八九便会给你开这个药了。其实，这个药对真正阳气虚弱体质的人百无一效。

这方子的原意为"阴中求阳"，也就是说平常体质的人，由于饮食劳倦等原因造成了体内的精血（阴）一时性的缺少，而不能及时转化成阳气来温暖四肢，造成一时性的虚寒，或先天体质中阳气略显不足，稍感怕冷，但又不是阴寒无火之人，这样才适用。所以如果总是口干、喜饮热水而又畏寒怕冷的人较为对症。

■ **求医录**

ANDY 问：

我冬天怕冷，夏天又不是很怕热，月经周期在26～28天。3年前生了宝宝后，同房就没有分泌物，看了西医，查了内分泌，都说是正常，现在转为看中医。上次说我肺热、气虚、湿热，因为我有点便秘，小腿的皮肤很干、掉皮，但身上又没有，口气有点重。医生给我开了六味地黄丸，我总觉得月经后腰酸背痛。请问，我应该怎么调理？

中里巴人答：

冬天怕冷，是肌表有寒；夏天不怕热，是体内无火。若再有不爱喝水、尿少易倦，就更是脾虚湿盛的明证，不可用滋阴药六味地黄丸。可尝试用柏子养心丸、参苓白术丸。平日再吃些大枣以补气养血。没有分泌液及皮肤干燥都是气少血虚无力输布津液造成的，月经将结束时可吃八珍颗粒两袋合三七粉（同仁堂产）一瓶，可防止月经后腰背痛。

delphing 问：

我29岁，女，已婚未育。我从今年初好几个月排卵期都出褐色分泌物，比如15号排卵，10号开始有褐色分泌物，到大概16号结束。月经每个月都很准时。后来，我每天按肝经、涌泉穴、足三里和三阴交。4月份排卵期没有出血，5月份在10号那天出了一点点褐色的分泌物，之后就好了。可以说，经络按摩对我还是有用的。不过，我现在每个月10号开始还是会觉得很疲惫、很累、总想睡觉，可又睡不踏实，到15号以后这种现象会好一些。每次月经完了之后也会觉得没劲、头晕。在脖子后面和腰后面（膀胱经的位置）起皮疹。您看，我的情况能吃六味地黄丸吗？（以上月经周期均以15号为排卵日，29日为月经第一天举例）

中里巴人答：

能不能吃六味地黄丸，是很多朋友都问过我的问题。

六味地黄丸是一个治疗肾阴虚的妙方。肾阴虚的症状主要为口干渴、怕热、腰膝酸软、头晕耳鸣、舌红无苔、脉细而数。您的症状我觉得是脾肺气虚、心血不足。可先服柏子养心丸和参苓白术丸进行调养，平日可吃些大枣以补血安神。

天堂女问：

我今年41岁，每年体检结果是身体各零部件都很好，就是有点轻度贫血（一般血色素在9克左右）。但我自己感觉身体很糟，特别是近3年来，每年都会无缘无故病一周，症状很奇特，没有明显预兆，就有一点点感冒的样子，然后就是一点劲儿都没有，连坐在沙发上看一会儿电视都觉得累得受不了，轻飘飘得没一点重量，话也说不动，好像提前体验百岁老人的状态。去看医生，医生说不出所以然，就吊点水补充一下营养，一周后慢慢恢复。前两年这种状况都在秋天发生，但今年6月初已提前体验了。前天有位懂点修行的老师建议我服用点逍遥丸、归脾丸和补中益气丸，正要去买呢。今天看到老师的书很高兴，就先咨询一下。

中里巴人答：

补中益气丸的功效在于益气升阳、甘温除热，主治气虚发热和气虚下陷之症，只要觉得自己属于"气虚"都可参酌用之，且药力平和。归脾丸补气养血安神，属于气血双补之药，主治心悸怔忡、健忘失眠等症。但此药有些粘腻，若有大便不爽的症状就不适合，还是补中益气丸较为通利。柏子养心丸既能补气养血，还有安神通便之效，对心脏也有养护的作用；但因其中含有朱砂成分，近来对朱砂的毒副作用非议较多，所以我也不便大力提倡此药，酌情用之，中病即止。逍遥丸对肝气不舒但又不是肝火太旺的人较为适合，尤其是那些因思虑过多而影响食欲的人更为适宜。吃完多会打嗝放屁，感觉气通神清。对真正阳气虚弱的人，原来有个右归丸，还有个阳和丸，都专治肾阳虚弱，可现在药店买不到了，只有一个治脾阳虚的附子理中丸还比较好买，专治脾胃虚寒，效果很好。

怕冷问：

我今年43岁，平时比较怕冷，确切地说主要是晚上睡觉特别怕风吹，不太爱喝水，好像喝进去马上就排走了。大便尚可，略有一点干燥。小时候得过牛皮癣，后来犯过两次，目前情况尚好。我多年来牙周一直不好，尽管我一直很努力地清洁口腔（每天用牙线，并用水冲牙，定期看牙医做清洁），牙肉还是不停萎缩，有几颗牙已松动得很厉害。

几个月前，经一位中医朋友介绍开始吃六味地黄丸和知柏地黄丸，感觉有一些帮助（不知是不是心理因素）。

我是否适合吃六味地黄丸或知柏地黄丸？应该如何调整身体？

中里巴人答：

牙齿松动通常被中医认为是肾虚之症，也是六味地黄丸的治疗范围。如果您的先生一直是畏寒怕风的体质，就不适合六味地黄丸，更不适合知柏地黄丸了，可选择桂附地黄丸。但如果是过去怕热而现在怕冷怕风，不是真正的虚寒体质，又有您的中医朋友诊脉确定，也是可以吃六味地黄丸的。至于知柏地黄丸，不是火性体质的，实非所宜。

Lolita 问：

我爱口渴，每天要喝8杯以上的水，月经前后会腰膝酸软。每次看中医，大夫都会写上脉细数，自我观察则舌红无苔。但我不怕热，相反很怕冷，冬天总是手脚冰凉。我这样的体质可以吃六味地黄丸吗？

中里巴人答：

口干渴、爱喝水、脉细数、舌红无苔都是阴虚的主症，可放心服食六味地黄丸。至于冬天怕冷，是肌表有寒。您属于是冰包火的情况，郁结之气不得宣发是其原因。可服食加味逍遥丸，以舒肝解郁，并用取嚏法宣散体表之寒气。

18. 玄妙五行治疑病——导引法

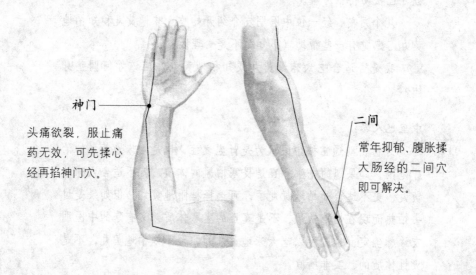

神门——

头痛欲裂，服止痛
药无效，可先揉心
经再掐神门穴。

二间

常年抑郁、腹胀揉
大肠经的二间穴
即可解决。

> 　　老祖宗给我们留下的好东西实在太多太多了。每当从《黄帝内经》等典籍中学了个一招半势，得心应手，就不禁心生无限感激之情，真要向苍天叩几个响头，以遥拜先知大德的在天之灵。难道我们竟要将家中的财宝视如垃圾，弃如敝屣，用手里的茶盅去估算大海的深浅，用裁缝的皮尺去测量天空的高低，在无限的宇宙里画地为牢、打造铁窗，让人们都隔窗而望，并美其名曰为"科学的视野"。如果科学真是如此的浅薄，我们不要也罢。

　　前面介绍过，中医常用六大法门：砭、针、灸、药、按跷、导引。其中的导引之法是集前五法之大成，调节经络的升降顺逆，因势利导，以强济弱，便可将体内多余之能量转移到气血虚弱之部位，而无须白白泻掉。肆虐之洪水反成发电之动能，岂不快哉！通常我们有了胃火便吃牛黄清胃丸来泻胃火，有了肝火便吃龙胆泻肝丸来泻肝火，心火盛吃导赤丹，肺火盛吃抑火丸，似乎一上火便必须要泻，顺理成章。其实，"邪火"也是一种身体的能量，也是要耗费人体的大量气血来推动运行的。如果人身体五脏之间的气血是平衡协调的，便不会产生某脏偏旺上火的情况，因为五脏的功能既相互推动又相互制约，如果某脏腑气血偏旺，必然同时会有脏腑气血虚弱。导引法就是将那些气血过盛的脏腑的多余能量转化到气血衰弱的脏腑上。这种自身的转化没有能量的浪费，是人体无污染的绿色能源。

金庸金大侠曾在他的多部作品中有过类似导引法的描写。例如有人练功走火入魔，疯狂难以自制，这时只要有个大师级的人物点上几个要穴，再略加推按，只需片刻，那人便会转危为安、狂躁顿消。这种描述绝非空穴来风，这也不是什么高不可攀的武林绝学，只要知其扼要，你何尝不可以小试牛刀呢？

这里面运用的是中医五行学说，此学说既是中医的入门基石，又是登堂入室的捷径。可越是好东西越是广遭非议、少人参悟，现在竟成了某些人诋毁中医理论的佐证，嗤之为最不科学的"迷信残渣"。所以，导引法几近失传。

这里举两个简单的导引法，让朋友们大概了解一下。若意犹未尽，可自行去参研五行之法。

邻居大姐50多岁，常年抑郁不舒，总想大哭一场，腹胀但能食。诊其脉胃旺肝虚，右肾亦强，常气胀至腋下。取大肠经二间穴，只揉两分钟，便肚中肠鸣，连放响屁，腹内顿觉舒爽，胸中畅快。二间穴为大肠经"荥水穴"，大肠为金，取此穴"泻金补水"，泻金则金不克木，补水则水能生木，且泻金即是泻胃土，使土不侮木，诸法皆护持肝木，使肝气条达，气郁之症随屁而解。

某朋友，男，46岁，突然头痛欲裂，服止痛药无效，找我急救。

摸其脉，心脉旺，脾脉虚，正是牛黄清心丸的主治症。牛黄清心丸泻心火而转生脾土，取五行中"火生土"之意。一药而两治，能量转化而不耗费，是为导引玄机。当时手中无药，但"诸穴即是诸药"，随手拈来，先按摩整条心经，以泻心火，然后点掐神门穴（输土穴），泻心火而转生脾土，同样是"火生土"。由深知心火旺、脾虚，脾经必"虚不受补"，所以先点按脾经之大都穴（荥火穴），以便和心经顺接，然后点按脾经太白穴（输土穴）将心经之能量储藏于脾，此导引过程即告完成。前后5分钟，朋友头痛尽消，恍如做梦一般，整个治疗过程并没有揉任何头部经穴。

导引术手法极为简单，就是寻常的点穴按摩，但病因必须明确、五行必须通晓才好应用。倘若此法精熟于心，那么治病真的就如顺水推舟、庖丁解牛一般了。此术医理庞博，我也只是略窥一斑，抛砖引玉而已。

老祖宗给我们留下的好东西实在太多太多了。每当从《黄帝内经》等典籍中学了个一招半势，得心应手，就不禁心生无限感激之情，真要向苍天叩几个响头，以遥拜先知大德的在天之灵。难道我们竟要将家中的财宝视如垃圾，弃如敝履，用手里的茶盅去估算大海的深浅，用裁缝的皮尺去测量天空的高低，在无限的宇宙里画地为牢、打造铁窗，让人们都隔窗而望，并美其名曰为"科学的视野"。如果科学真是如此的浅薄，我们不要也罢！

丰盛的美味需要宽大的盘子，如果没有一颗无限包容的心，我们如何去承载苍天的博大厚赠？《素问》、《灵枢》、《伤寒论》便是其中的美味珍馐，等哪天有空，一定和大家一起品尝。

19. 刮痧最适合治皮肤、肌肉和关节的病

> 痧不是医者刮出来的，而是患者自己的气血所到之处而推出来的。正确的刮痧是无痛的，就像抓痒一样，感觉很舒服，出痧也很顺畅。若患者感觉刮的地方很痛，心里烦躁抵触，那刮的地方肯定不对，白白地耗费气血，而且出痧也不多。

提起刮痧，人们通常会想起乡间的老婆婆拿着铜钱、汤匙，在人们的后背前胸刮出一道道红红紫紫的血印，以治疗中暑发烧、呕吐等症，有时疗效还颇为显著。一般人认为刮痧可以祛火、排毒、美容，所以美容院、洗浴健身中心都设立了这个项目。

在西医看来，刮痧无异于损伤肌肤血管，是愚昧无知的自残行为。而正统的中医呢，也因其工具简陋、操作简单好像有失医者的身份而不屑一顾。而刮痧疗法实在是中医疗法之鼻祖、针灸之先驱。中医弃之，岂不是数典忘祖？

刮痧古称砭法，是中医治疗六大技法之一。

中医治疗六法分别是：砭、针、灸、药、按跷、导引。砭为第一法，可见其地位的重要、应用之频繁。砭法又分为刮痧、揪痧、吮痧和刺络法。

我们以吮痧为例讲解一下。望文生义，"吮"就是吸吮，用嘴嘬的意思，主要用于婴儿的治疗，由医者根据病情的不同，指导孩子的母亲在幼儿身体的相应穴位上进行吸吮，嘬出紫红痧，患儿病情即时就可得到减轻。治疗就像母亲平时对孩子的爱抚，孩子们都以为是母亲与自己嬉戏、亲吻自己，没有丝毫痛感且心情愉悦。这种治法难道不是医疗的最高境界吗？可现代中医对此竟茫然无知，且还轻视遗弃，

岂不可惜？

刮痧虽然手法简单，但医理复杂，对经络走向、脏腑虚实不熟悉的人，很难正确地把握与使用。如果认为此种疗法有益无损则更是贻害不浅。请记住：刮痧是否出痧，不在于你刮的力度是否够大，而是在于患者的气血是否够足。痧不是医者刮出来的，而是患者自己的气血所到之处而推出来的。正确的刮痧是无痛的，就像抓痒一样，感觉很舒服，出痧也很顺畅。若患者感觉刮的地方很痛，心里烦躁抵触，那刮的地方肯定不对，白白地耗费气血，而且出痧也不多。

刮痧最适合皮肤、肌肉和关节的疾病，如颈椎病、肩周炎等，疗效立竿见影，远胜于药物和针灸疗法。而对于脏腑病使用刮痧就有些力不从心、鞭长莫及了。

中医的六大治疗方法各有各的优势，各有治疗的领地：脏腑的病多用药，经络穴位的问题多用针灸，浅表皮肤的病多用刮……生活中，许多疾病的病因非常复杂，一种疾病，其脏腑、经络、表皮都可能有大大小小的问题，这就需要多种方法一起配合治疗，各自发挥在治疗上的优势，才能做到法到病除，而不是单纯依靠其中某一个法来解决。例如，皮肤浅表的疾病若用药物来治疗，药物要先入脏，然后到经络，再到肌肉，最后才到皮肤，绕了一大圈，药的力量就好比强弩之末，所剩无几了，治疗的效果还不如用刮痧立竿见影来得快。

可叹的是现在的中医，用药的不用针，针灸的不懂药，至于刮痧和按蹻导引更少人精通。更有甚者，将刮痧这门纯中医的东西归结到旁门左道、民间疗法。中医技法变得支离破碎，对疾病的治疗都受限于单一的技法，难怪疗效要大打折扣了。

其实，我在这里不是要给刮痧正名，而是要唤醒同道们找回被随意丢弃的中医至宝，以重振岐黄大道。

■■ 求医录 ■■■■■■■■■■■■■■■■■■■■■■■■■■

痧迷问:

刮痧是不是按照经络走向来?

中里巴人答:

一次不要刮那样多条经络,因为人体的气血有限,那样太分散战斗力了。最好得知哪条经络比较瘀滞虚弱,就主要刮那条经。一般刮痧都是从脖子往下刮,推拿一般都是从腰骶向脖子方向。不要拘泥于所谓的补泻手法和方向,那些都是花拳绣腿。按揉刺痛的地方用力可以强些就,等于泻了,酸或酸痛的地方有些虚,就力度小一些,等于补了。按摩穴位只是保持开关接通的方法,打开开关,有些刺激就成了,没必要一个劲地在那些地方按个不停。推个三四遍,5~8分钟就成了。腰背疼可以看看是哪个经的穴位,然后找到该经腿上的穴位进行按摩,腰疼多是按揉小腿上的承山、委中。

好学问:

小时候在农村,有一种疗法就是用缝衣针快速挑刺皮肤,然后挤出一些血。老家的很多人头痛感冒就用这种方法,比如着凉了头痛,就沿发际用针挑刺,然后挤血;有时候会挑刺太阳穴,一般都会在针刺破的地方出现黑紫色的小疙瘩,类似痣一样,过段时间会消失,疗效不错。我的亲身体验是有一次肚子疼,忘了什么原因,疼得直不起腰来,就是村子里的老奶奶用一种三棱的针刺破胳膊肘内侧的血管,流了些发黑的血,很快就好了。不知这种疗法在中医里有没有?叫什么名称?是否有科学根据?

中里巴人答:

此法为刺络疗法,中医常用,现在医院的针灸科也偶尔使用,但会的人越来越少了。这种方法疗效显著,也叫刺血疗法。

bxl2610问:

我看到有些书上说背为阳,腹为阴,冬季要养阴藏阳,所以冬季不要在后背刮痧和按摩。这种说法对吗？

中里巴人答：

　　此论只知其常，不知变通。秋收冬藏，确实不宜宣发、耗散。但若寒气束表，郁热难发，不及时用刮痧法解散，用按摩法疏通，则冬令难补，外冰内火，春必发病。

20. 随身携带好医生——刮痧、拔罐与按摩

> 刮痧是将粘着在血管壁的瘀血清除到血管外，然后再经血液重新吸收入血管，经过全身的循环，将刮出的废物从尿液排出。
>
> 刮痧会加速血液循环，对心脏是很好的锻炼，作为防病来用，安全有效。如想补肾，就光在肾俞穴拔罐；补胃呢，就在中脘和足三里拔罐。
>
> 拔罐可补可泄。补呢，就是用罐数量要少，引气集中一处。
>
> 通常在外面拔罐时总是满后背都被拔上，那主要是将气血引入膀胱经，起到利尿排毒的作用。但这对于气血虚弱的人便大为不利了。
>
> 拔罐最棒的功能就是它的引血功能。
>
> 按摩一定要找准经络，穴位找不准慢慢来，离穴不离经就行。如果肚子上压着痛，你要看痛点压在什么经上，然后就按摩腿上相应经络的穴位就行了。胃经上压痛的就按腿上的足三里，脾经痛就按阴陵泉……
>
> 敲打和按摩的作用是相似的，可以替代使用（例如敲胆经和胃经）。

许多人家里有拔罐、刮痧板，却不会使用，只好束之高阁。现在咱们就拿下来，擦一擦，准备派上用场。

很多人畏惧刮痧，觉得那是损伤皮肤的一种疗法。其实，这是一种误解，误解的原由就是你没有亲自感受过，只是凭着视觉的经验，就像西医对中医的误解一样，拒绝实际的体会，只凭感观的成见。可当你真正刮过一次，且必须找个懂刮痧技巧的人来操作，你当时就会接纳这种方法，并连呼痛快。

记得我3年前曾给一个比利时电视台的记者刮过痧，他当时不住地向我挑起大拇指称赞这种方法的神奇，没有半点恐惧与排斥，并把我送给他的刮痧板当做宝贝似的珍藏起来。可是国内的很多专家，甚至是中医专家，都在抵制或轻视这种简单有效的方法，真让人不可思议，似乎这种方法一进了健身中心就不是正统中医的东西了。其实，

你就是把它算到民间土法当中，它仍然有其不可替代的医疗价值。拿颈椎病这个极普遍但是很难治愈的疾病来说，用刮痧法真是手到病除。当然还有很多疾病，如心血管疾病的预防和早期治疗，如果能巧用刮痧法，将会有多少人躲过心脏搭桥的煎熬呀！

很多人问我拔罐有用吗，比刮痧如何，我怎么说呢？我会说，比刮痧还棒。真是这样吗？那当然了，这些东西如果你会用，非常地好使，而且能除大病。

一年前，我曾在香港治疗过一位中风的病人，她被当地最好的医院诊断为不可能再站立行走的重症患者。我在她家住了12天，她便从卧床不起的状态变成了能拄杖行走两步了。我用的就是朋友从内地带去的真空拔罐。你说拔罐是不是好东西呢？

说到这里，肯定会有人说："你就吹吧，反正也不用交税。"好，如果我的吹牛能让许多人增加一点对拔罐的信心，那我闪了自己的舌头也是值得的。

至于什么时候刮痧，什么时候拔罐，从哪里刮起，拔多长时间等等许多问题，常常会困扰着大家。我这里就较为详细地讲解一下。

刮痧最好使的工具是刮痧板，再配上一瓶刮痧油，就全了。有人觉得刮痧只适合热症、实症，这真是"千古奇冤"。其实，刮痧补虚去寒的效果更妙。某人感冒发高烧，这时有人说，刮刮痧，去去火，于是就在后背膀胱经刮痧，痧一出，火就散了，大家认为是泻火了；其实是用体内的积热把后背的风寒赶走了，所以应该说是祛寒了。说祛火呢也对，但不是你所理解的那种光热无寒的火。

刮痧最善补虚，但补的不是气血两虚的虚，而是因瘀而虚的虚。举个例子，有个朋友的右手腕不知为什么一点劲儿都没有，甚至拿不起书包，手指还总是发麻。到医院，医生说可能是颈椎或者是脑神经的问题。可核磁共振都查了，也查不出个原因。于是来问我，我说："手发麻说明气脉是通的，只是气至血未至。"手腕部缺少气血，怎么能有力量呢？但他本人并不是气血很弱的人，所以必有阻塞之处。我于是在他的右臂上仔细查找，发现他肘部天井穴上方有一点按下去痛不可忍，已经形成了一个硬结。他说，这地方两个月前踢球时曾摔伤过，当时没管它，疼了3天就不疼了，没想到变成了瘀滞。我在他的痛点及整个三焦经刮痧，当刮到接近手腕的时候，手已经运动自如了。

如果你身体太弱，还是要先培补一下气血再刮，否则是不爱出痧的。一定要清楚，痧不是你用刮板刮出来的，而是体内的气血顶出来的。所以当我们用力刮也不出痧的时候，那就是体内的气血没顶到那里，就别再白费劲了。

有人说，出痧就是人为地造成了血管的损伤，是毛细血管的破裂。其实，刮痧是将粘着在血管壁的瘀血清除到血管外，然后再经血液重新吸收入血管，经过全身的循环，将刮出的废物从尿液排出。值得一提的是，将血管壁的瘀血清除以保持血管的弹性和空间不会变小，也是西医的梦想，但是西医无法可施，或是说施不得法，只能用扩张血管的药或抗凝剂来保持管道通畅，从而来保障供血。为了不确定的瘀血而使整个血管的血液都被抗凝，这注定要改变血液的正常成分，并人为地造成易出血症状，甚至造成血管壁失去弹性而变硬。这就好比是我们家的白墙上有一个黑点，我们只要用湿布一擦就掉了，可我们却找来了高压水枪，把整个房间都冲刷一遍，搞得是墙皮脱落、房屋损毁，真是得不偿失呀！我们小小的刮痧板却能轻易地解决血管的瘀血，这可是世界医学难题，你不觉得这很奇妙吗？消灭苍蝇，一只苍蝇拍就够了，那些洋枪大炮都派不上用场。你愿意为了消灭屋里的一只苍蝇而用大炮把你家炸平吗？可我们在医院里却经常上演着这一幕而不知不觉，或无可奈何。

仍然会有些人心存顾虑：刮痧会不会有什么副作用呀？这小心是对的，有些人是不适合刮痧的。

心脏功能弱的人很容易晕倒，尤其是坐着刮时更容易出现这个问题，一般会有心慌、头晕、恶心的症状。还有气血很虚弱的重病人不要刮，会白白耗费他的气血，这样的人刮出的瘀血不会被带走，出来的痧很久都下不去。

有皮肤病的人也先别刮，因为不知皮肤病的来龙去脉，有时会把内毒引出来却排泄不掉。

孕妇不要刮，安全第一。

癌症病人也不建议刮，会出现许多不可预知的问题。

对于有出血倾向的人来说，刮痧是双刃剑，特效和危险并存，没搞清病因情况下也别刮。

6岁以下的小孩先别刮，可用捏脊替代。

血压很高的人也先别刮。尽管刮痧对于高血压有特效，但特效的东西都不是平安药，如果不能确保安全，还是先回避风险吧！

总之，刮痧会加速血液循环，对心脏是很好的锻炼，作为防病来用，安全有效。

那什么时候拔罐呢？通常我们的肩膀很痛，用刮痧法，只要一出痧症状马上减轻；但有时刮了半天也不出痧，肩膀疼痛依旧，为什么会这样？主要有两个原因：一是病灶点很深，刮痧法触及不到；二是气血不足，体内的气血没有顶过来，瘀血就难以出来。这时用拔罐法可马上见效。病灶点深的，如果一拔很快出现黑紫印，那深层的瘀血就被拔出来了；如果还是罐下无痕，那就要耐心地在此处拔几天，每天 10 分钟，直到出现黑印为止。

拔罐可补可泄。补呢，就是用罐数量要少，引气集中一处。如想补肾，就光在肾俞穴拔罐；补胃呢，就在中脘和足三里拔罐。如拔的地方太多反而会将气血分散，达不到补的效果，会白白泻耗了气血。

通常在外面拔罐时总是满后背都被拔上，那主要是将气血引入膀胱经，起到利尿排毒的作用。但这对于气血虚弱的人便大为不利了。所以拔罐也是很有讲究的，不可莽撞行事。

拔罐最棒的功能就是它的引血功能。记得有个糖尿病病人，膝盖下足三里附近有个直径两寸的溃疡点长期不愈合，使用了各种消炎药，也敷贴了中药生肌散之类，都没有效果。后来我让患者每天在腹部中脘穴拔一罐，同时在患侧大腿胃经从髀关→伏兔→阴市→梁丘→犊鼻，一路拔下来，5个罐同时拔上，连拔4天，每天5分钟，再用生肌散，一贴而愈。为什么？通过拔罐把好血引下来了，破损自然就被修复了。

你已知道了拔罐、刮痧的机理，手法还用我教吗？刮痧要顺着经络刮，最好是从上到下，这样比较顺手；刮板和皮肤保持45度以下的锐角，比较不痛。刮痧时最好能用上腰劲，这样会很省力。其实，自己去体会，手法是最容易掌握的。

拔罐操作方法也没什么严格要求，买个枪式的真空罐，省得再去点火。拔前可在皮肤上抹点润滑油，这样拔皮肤不会痛。拔的时间以觉得舒服为准，气血虚弱的就少拔一会儿。但是湿气较重的人很容易起疱（尽管起疱疗效更好），会影响洗澡和皮肤的美观，所以拔的时间不要太长，也不要拔得太紧。

再唠叨两句按摩吧。有人说，按摩的技法那么多，两句能说清吗？其实，从治病的角度来看，按摩中80%的手法都是花拳绣腿，何为补何为泻，我劝你大可不必去浪费时间研究这些，能够一招制敌，何必先摆出100种花架子呢？按摩一定要找准经络，穴位找不准慢慢来，离穴不离经就行。如果肚子上压着痛，你要看痛点压在什么经上，然后就按摩腿上相应经络的穴位就行了。胃经上压痛的就按腿上的足三里，脾经痛就按阴陵泉……这只是举例，临症还有更适宜的穴位可选。再说一句按摩的方法，痛点不明显的经络和穴位按摩效果差，就像风筝线断了或半路打结了，要多按摩敏感的穴位。还有，敲打和按摩的作用是相似的，可以替代使用（例如敲胆经和胃经）。

法门很多，真想再多告诉大家几招，但我怕说多了，有人就更迷惑了，就像服装店里的衣服，款式品种越多，我们就越难挑选。

■ **求医录**

sweet_windy 问：

我的颈椎在大椎穴的附近有增生，按上去很痛，特别是每天早上起床的时候；而且按摩这个痛点时我会打嗝，按摩师帮我按摩时说肩部的肌肉僵硬。像这种情况如何拔罐呢？

中里巴人答：

僵硬的地方就先别拔罐，一定要先揉开。肩上僵硬的地方要看看是哪条经，肩膀上边僵，肩下臂上必松弛无力，需在臂上的经络拔罐。上边揉下边拔，肩上的僵硬才可解除。

行者无牙问：

我通常是先刮痧，再拔火罐，这顺序上有讲究吗？

中里巴人答：

法无定法，您的方法也是其中一法。先把表层的瘀滞散掉，再把深层的瘀滞引出。很好！

碰就疼问：

我这几天按摩腿和脚部的穴位，很多穴位都很疼，按摩之后，第二天轻轻一碰就疼了，是不是按摩得太重、伤了经络了？

Jnc 答：

不用害怕，只是瘀滞出来了，到了浅层，你可以减轻手法力度或休息一两天再按。

lucyxiaoyun：

现在我只要手有闲大脑有闲就是一个多动者，这里按按那里敲敲。三两天里就会在自己感觉不舒服的地方拔下罐。膀胱经是我经常光顾的地方，足三里、三阴交也会搞两记。夏天去过医院拔过火罐，背后都是暗红，想想办公楼的空调害怕得很。现在吃着老师建议的淮山粥，还有健脾胃的参苓白术丸、让人无忧的逍遥丸，放点保和丸备用着，还买了八珍丸。现在的我气色很好，白里透红，上楼轻盈，大家羡慕。

每年我的皮肤会发东西，尽管从不发在别人能见的地方，但是奇痒无比，总是会让我抓得不成样子，要到穿单服才会转好。读了老师的书后，今年一出苗头赶紧拔罐，拔出血水第二天就结了，第三天就差不多好了。

21. 小病的治疗只需蜻蜓点水

> 在我们生病时，如果饮食正常，二便调顺，就不用特别紧张，备一些常用的中成药就可以轻松解决。因此了解一些常用中成药的知识非常必要。

邻居家的李太太70岁了，一向身体不错，每天清晨去公园爬山、做体操。听说这两日得了重病，我便前去探望。

一见李太太，吓了我一跳，只见她两眼红肿得像两个桃子，眼睑被挤成一条细缝，已看不见东西了，还有脖子前面起满了暗红色密密麻麻的疹子。说去了医院看了内科、皮科、眼科，大夫也说不清是什么病，开了好几百块钱的药却毫不见效，急得老太太直哭。我把了一下脉，觉得脉象平和，不像有什么大病。又问了问大便、小便和饮食的情况，也都很正常。

我于是告诉她，没什么大病，不用着急，可能是吃了一些不洁的食物，又受了点热邪火毒。李太太听我这么一说，一下子想起来了：她一周前在早市买了一袋干虾米，回家吃后脖子上就起了许多芝麻粒大的小疙瘩。她也没当回事，就买了点皮炎膏抹上。前几天天气很热，她去参加老同事的聚会，在酷热的阳光下找了一个多小时才找到聚会的地点，结果当天晚上眼睛就肿起来了。我说："这就和病因对上了。"

于是让她的家人帮她去买了一瓶扑尔敏，晚上睡前服一粒。然后再买了6袋补中益气丸、3袋防风通圣丸，一共花了10块钱。早晚各一袋补中益气丸合半袋防风通圣丸，3天后她眼睛的肿胀和脖子的疙瘩都消失了。

补中益气丸能提升气血到达头面，以驱除毒邪。但如果只吃这一种药，皮肤的毒邪就会向外发。虽然也是一种排毒，但就会先肿得更厉害，然后溃脓而消，病人痛苦很大。防风通圣丸能清热、祛风、除湿、消肿，若吃一袋力较大，容易下行而祛脏腑之火，却难以上达头面，故用补中益气丸一袋载运半袋防风通圣丸直达病所，所以去病迅速。

疾病种类很多，即使有类似或相同的症状，其诱因也不完全相同，不可完全照搬治疗方法及用药。仅想以此例说明，李太太的病其实很轻，只在皮肤，但表现的症状却很重。如果错治，乱用消炎、去火、攻伐之药，必会变生它症，从此迁延不愈。

在我们生病时，如果饮食正常，二便调顺，就不用特别紧张，备一些常用的中成药就可以轻松解决。因此了解一些常用中成药的知识非常必要。

■ 求医录

小斌问：

近来添了一个毛病，只要在阳光下晒一会儿，两个手臂上就会起一片片很痒的小疙瘩，大腿的正面和小腿虽然不起疙瘩，也会很痒，有时下午晒了太阳，到第二天早上还会痒，非常痛苦。这是身体出了什么问题？用怎样的经络治疗保健手法可以治愈？

中里巴人答：

这3个穴位对于您的情况可能会有帮助：一是膝盖附近的血海穴，一是大腿外侧的风市穴，还有一个是肘横纹上的曲池穴。哪个穴位较敏感就多刺激哪个穴位。另外，您若属于怕冷怕风的体质，就再吃点成药玉屏风颗粒；如属于燥热口渴的体质，就吃点防风通圣丸。

洁问：

感冒喉咙痒得要命，按哪个穴好呢？

sweet_windy 答：

我在遇到这种情况时，按摩尺泽穴和合谷穴，还有手背无名指和中指之间的咽喉反射区。效果很明显。

宝宝问：

老师好！前几天，在不知情的情况下，发现自己从委中到承山一段的小腿淤青（想来想去想不出有外伤作用）。因我一直在实行一招三式，难道是身体在主动排毒吗？

中里巴人答：

这是经络调整的正常现象，不用太担心。

22. 举手投足皆治病——坠足功

> 其实，举手投足皆是功法，行动坐卧全可修炼。你大可不必弃易从难、舍近求远！

有的人手脚冰凉，有的人尿少水肿，有的人大便费力，有的人头晕脚软，有的人睡眠不实，有的人胸闷气短……凡此种种，不一而足。现在咱们就学习个简单的功法，将这些症状一扫而光。

这个方法并不难，且很有趣味。请听仔细：首先，需要你显出疲惫的表情，显出慵懒的神态，像是半梦半醒，没精打采，饿了一天没吃饭，腿上还绑着大沙袋。如果达到了这种精神境界，可以说您已经学会了80%。然后我们开始"跑步"——坠着沙袋跑步（可不要真绑上沙袋，全是意念），脚步异常的沉重，刚勉强抬起一寸又重重地落下；想停下歇歇，可后边还有人推着你，使你不得不一步挨着一步地向前"坠落"。全身各处的肌肉随着脚步的起伏而上下颤动，不由自主地颤动；两手自然下垂，也可稍稍弯曲，随意放于腰间两侧，手掌处完全的"肌无力"状态。此时所有意念全部集中在前脚掌，用意念往脚底加力，使每踏出一步都好像要把水泥地砸出个坑一样。千万记住，只许用意念使力，不可使肌肉用力，不要额外地做出用脚跺地的动作。要像铅球坠地，而不是铁锤砸地，把脚想成是"自由落体"就对了。

这样的"坠步"使你的全身完全放松，气血意念贯注于脚心，很快就会打通足底的肾经，起到迅速补肾的效果；而且前脚掌是肝、脾、肾经的交汇之所，又是心、肝、脾、肺、肾及胃肠的足底反射区，对增强脏腑功能极为有效。与金鸡独立有异曲同工之妙,而其利尿消肿、降气祛寒之效又远胜于金鸡独立。

此乃动静之功,于身心最为有益。"动中有静风吹柳,静中寓动月照云。"将意念与肢体血脉协调一致,真乃养心治本之法。

每日在小区"坠步"500米,耗时10分钟,便可使身心状态大有改观,而且会令两脚从此不再冰冷,难道不值得感受一下吗?这只是个公式,当你自己做题的时候还会有更多的自己的体会、答案和收获。

如果我们多一分自信,便多一分灵感。我相信每个人都有灵感的火花,只是通常人们认为那是幻影,而当别人拿着同样的火花点亮火把、又来照亮我们的时候,我们才开始对那亮光顶礼膜拜。

其实,举手投足皆是功法,行动坐卧全可修炼。你大可不必弃易从难、舍近求远!

读者文摘

书里的方法真不错!我原先只想到把双手想像成"肌无力",双手轮流用腰带动像甩草绳一样甩开,每只手都只要一分钟就可以达到麻、热、胀。可是对于脚我就没办法了。先生此计妙哉!

(Yangxin)

双手"肌无力"般地甩拍就是江湖传闻的"弥陀掌",也是好功法啊!另外,倒着走路锻炼肯定是前脚掌先落地,意念自然就会放在前脚掌了,那样专心走几百米也定会全身发热。不过这适合路上没人的时候走,安全。

(一堂)

　　俺就是"冰脚丫"的人，看了书后就试了试坠步功，真的很神奇。讲讲俺的感觉：先把身子放软，就是头也耷拉了，肩也耷拉了，手也耷拉了，闭上眼睛，觉得从脑后打了个寒颤一般，一股气向下流，一下就到了手指尖。想想老师是让意念在前脚掌，于是重新来过，脑中想着前脚掌，气流就从后背向腿的方向走，初时只能走到膝盖附近，试了几次后就能到达脚部了。走几步就不自觉地打个寒颤，慢慢地觉得双脚好似一个方方正正的冰块，如同刚从冰库里拿出一般还呲呲地冒着白烟。俺就拖着这个大冰块走啊走，感觉自己像个风雨中跋涉的路人。叫老公来观看俺的表演，他笑称俺是"泥人"，就像从泥潭里捞出来的。俺本来打算练10分钟的，结果总忍不住打寒颤，竟走了半个多小时。这两天走了几次，昨晚老公很惊讶地说俺的脚是热的，只因俺的脚平时闲着无事时从不放光发热。于是老公也跃跃欲试，也把肩、头、手耷拉下来走，活像一个斗败了架的大公鸡，可他走了一阵却说没感觉。也许是我的寒气比他大吧！反正我是打算广而告之了，通知俺那些"冰脚丫"的姐姐妹妹们都试试。

（一条小鱼儿）

23. 让你在瞬间强壮起来的升阳法

> 练铜头撞树法3分钟左右，你会有焕然一新的感觉。两脚分开同肩宽自然站立，或两脚一前一后成人字。想像面前有一棵两个人都抱不过来的大树。好，现在可以用你的铜头来撞树了。
>
> 这时你会觉得蕴藏的内力喷薄而出，源源不绝。浑身的虚弱疲惫感一扫而光。更重要的是勇气和自信心会在瞬间被激发出来。

气血不足、中气下陷，会产生很多病症，诸如气短乏力、头目昏沉、倦怠思睡、大便不畅、脱肛阳痿、脏器下垂等等。大家往往束手无策，但有一种健身法可以让你在瞬间强壮起来，这就是铜头撞树法。听起来有些恐怖，我们的头都是肉长的，平时不碰它有时还隐隐作痛，还说要撞树，这是什么野蛮的锻炼法呀？其实这种方法既安全又简单，一学就会。

首先，试试自己的头是不是结实。把手攥成空拳，然后用中等力度去敲打自己的头部，大多数人会觉得头比较软弱、比较痛。好，咱们转换一下思想，加一点意念：大家都见过运动用的哑铃吧，最好是那种老式的、不能拆卸、一体的那种粗大乌黑的铁疙瘩，将这个铁疙瘩放大为我们头的形状和大小，并进一步将我们的脑袋想像成是这个实心的铁疙瘩。现在，还是我们那只攥着空拳的手，这次我们是用大脑这个铁疙瘩像铁锤那样去迎击柔软的手。这次我们敲打的力度、手法和第一次完全一样，但是我们改变了意念，结果会怎样？大多数人不会觉得头有痛感，而是觉得手有痛感，头瞬间变得坚硬了。

好，我们已经有了坚硬的铜头，现在我们可以撞树了。两脚分开同肩宽自然站立，或两脚一前一后成人字。想像面前有一棵两个人都抱不过来的大树。好，现在可以用你的铜头来撞树了。撞树的时候最好播放着有节奏的音乐，这样撞起树来更加轻松有力。树被你撞得摇摇晃晃，而你却越撞越来劲，头上已微微出汗。这时你会觉得蕴藏的内力喷薄而出、源源不绝，浑身的虚弱疲惫感一扫而光。撞完前面，撞左面，撞右面，撞后面，撞上面并把屋顶撞穿。整个撞击过程3分钟左右，你会有焕然一新的感觉，更重要的是勇气和自信心会在瞬间被激发出来。这会令你大吃一惊。

这种效果卓越的健身法却不适合两类人锻炼：高血压、心脏病和有出血疾患的人（痔疾除外）；还有就是脾气急躁易怒的人，这会增加他的厉气和狂暴。

这种方法适合白天锻炼，可益气助阳，而不要在黄昏和临睡前锻炼。

求医录

王菲问：

做这种功法时间稍长会感觉有些头晕，怎么办呢？

中里巴人答：

做这种功法时间长会发晕的主要原因可能有3种：一是本身您的体质就是上实下虚（也就是上焦有火，下焦虚寒）；二是您虚拟撞树的过程当中头摇的幅度过大；三是撞树过程中太过用力，且没有放松呼吸，憋气锻炼。如何纠正呢？只要运动时发力点先从前脚掌起，然后再到头。每撞一次都按这个顺序，气血便自然不会过于涌上头了。若还觉不舒服，那就先别练此功好了，好的功法很多嘛！

古昀问：

是找一棵小树，把它想像成两人都抱不过来的大树，以己头撞此小树；还是根本没有树，把面前的虚空想像成大树，头撞虚空啊？

中里巴人答：

您分析得对，就是头撞虚空，您可自选印象深刻的、喜欢的树种，想撞多粗的树就撞多粗的。撞的时候要有撞真树的感觉，好像树叶都被您撞得哗哗作响。其实这练的不仅是肢体，更主要的是意念。古时练武功的人都要锻炼这种意念，要"面前似有人，拳打卧牛之地"，这就是说只要练习招术，好像真有个对手在跟你对打一样，既要攻也要防，尽管打拳的地方很小，只能是一头牛睡觉的地方，但仍然能把翻飞腾跃的动作练出来。在哪儿练？就是在意识中练。练过气功的人都知道，气功练的是什么，全部的内容不过就是"意念"二字。

第四章

慢性病可以这样去治

有人觉得中医疗效慢是中医在治本，因此也就无怨无悔地去吃上一年甚至几年的汤药；尽管无效，也仍觉得是顺理成章，治本嘛，哪有那么快的！其实，很多时候如果能真正找到病本，中医治疗起来并不缓慢，而是非常迅速、立竿见影。

1. "金鸡独立"等方法是孝敬父母的最好礼物

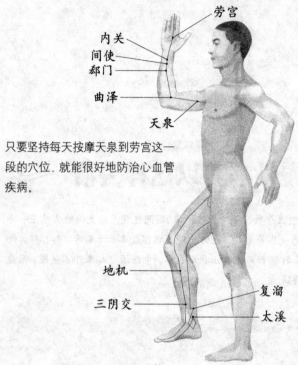

劳宫

内关
间使
郄门

曲泽

天泉

只要坚持每天按摩天泉到劳宫这一段的穴位,就能很好地防治心血管疾病。

建议:

如果能每日闭眼练金鸡独立1分钟,那么老年痴呆今生便与您无缘("金鸡独立"功法参照第三章"预防、治疗一切中老年疾病的'金鸡独立法'")。

地机

三阴交

复溜
太溪

每天按摩脾经的地机、三阴交和公孙以及肾经的复溜、太溪四穴,血糖就会慢慢地恢复正常。

> 面对那些被病魔煎熬的人们,我常发出这样的感叹:不要等到失去健康的时候才去珍惜健康,不要等到孤独无助的时候才去寻求帮助,不要借口我们忙就无暇顾及身体,那样你永远不会有空闲。"若要了时当下了,若觅了时无了时",记住这句话,马上行动!

　　我相信很多人小时候都有一个愿望,那就是长大成人后一定要让父母过上好日子。转眼,我们已经人到中年,结婚生子,我们的双亲也都是白发苍苍、步履蹒跚,能有多少父母真正享受到了快乐幸福的晚年呢?很多人因为病而早早地离开了人世,让子女没有机会去尽孝。我们或许事业成功,或许声名显赫,但如果没有让父母亲眼看见这一切而为我们欣喜，那将是我们心底永远的悲凉。若能让含辛茹苦、一手把我们拉扯大的父母能够在我们的关爱下开开心心、快快乐乐、健康无忧地生活，难道不是我们做子女的最大幸福吗？

为了这一切，我们一定要为父母准备最好的礼物——那就是为他们提供健康长寿的方法。人到老年最担心的疾病有：老年痴呆、高血压诱发的脑血管疾病、低血压、心血管疾病、糖尿病、腰膝疼痛以及耳聋眼花、便秘、失眠等。现就针对这几条，为老人们挑选几个防患之法。

我曾经在一个老年干部活动站进行过几次健康养生的讲座。当时，我手把手教给他们一些简单的方法。他们太需要这些了，每个人都仔细地记着笔记，听得极其认真，生怕漏掉一个字。每次讲完课都没人舍得离开，而是围着我问这问那，让我觉得我们的父母对于健康是那么地渴望，也是那么地无助！

在我教给他们的健身法里面，反响最大的是金鸡独立，他们都非常喜爱这个简单而特效的方法。许多人在开始做的时候5秒钟都做不了，但后来有人甚至可以站上2分钟。随着站立时间的延长，原来头重脚轻的感觉没有了，睡眠质量也大有提高，头脑清楚了很多，记忆力也明显增强了。有一个脑血栓偏瘫的患者，此法3个月后，由原来的只能勉强站立到后来能够拄杖上5层楼，这不能不说是一个奇迹。高血压在中医看来通常是阴虚阳亢引起的上实下虚之证，而金鸡独立却可以很好地引血下行、引气归元，将气血收于肝经的太冲穴、肾经的涌泉穴和脾经的太白穴，使肝、脾、肾的功能都得到了快速的增强，其好处真可以专写一部书来仔细陈述。可以肯定地说，如果你能每日闭着眼做金鸡独立1分钟，那么老年痴呆今生便与你无缘了。

还有一个时时威胁老年人生命的杀手，那就是心血管疾病。我曾经写过一篇文章，叫《救命的心包经》，心包经就是一根防治冠心病的救命稻草。心包经穴位很少，而且多集中在手掌和小臂，许多冠心病很严重的患者在小臂的穴位上没有痛感，这令大家很奇怪。其实，这条经最容易堵塞不通的地方是在上臂肱二头肌（俗称"小耗子"）上。其具体位置每人稍有不同，可以在天泉穴与曲泽穴之间点按寻找，必有一痛点，且疼痛剧烈。仔细按摩此点，会在两三天之内出现一个青黑色的瘀血点，这个点的出现会暂时缓解心脏堵闷，是对冠心病非常有效的防治方法。然后，我们要乘胜追击，将曲泽穴、郄门穴、间使穴、内关穴、劳宫穴一一按得穴感强烈，让这些我们生命的保镖们时时地处于警醒状态，就决不会再有突发猝死的惨剧。

再说一下老年人的糖尿病。这个病常令患者忧心忡忡，所有的精力都集中在血糖、尿糖上，天天提心吊胆地活着，还有什么快乐可言呢？

前不久，我的一个65岁的忘年交急匆匆地从美国赶回来，说他刚在美国做的化验，血糖已经达到17.5，大夫让他马上住院，说情况很危险，并确认他有糖尿病足的征兆，弄不好还要截肢。我对糖尿病研究不多，本想推辞，但朋友远渡重洋专程找我，我深为感动，就让他先试上一周，不成再另请高明。糖尿病，中医叫作消渴，分上消、中消、下消，上消多饮、中消多食、下消多尿。我这朋友是多饮，每天最少要喝两暖壶水；还多尿，夜里要起夜五六次；饭量倒还正常，只是两腿日渐消瘦，整天疲惫不堪。我让他把从美国带回的花旗参每天煮水喝并冲服杞菊地黄丸，疲劳时吃人参生脉饮两支，每天喝两碗山药茯实粉熬的粥，晚上睡觉前吃两瓶盖五子衍宗丸，同时练习金鸡独立、伸懒腰并按摩脾经地机、三阴交、公孙穴和肾经复溜、太溪穴。一周后他找我复诊，告知血糖已经降到10，每天起夜两次，一天半壶水就够了。我嘱咐他接着再吃两周，不久又打来电话，说血糖指标已经正常，身体感觉很好，体重增加5斤，而且有意外收获，眼睛看东西比以前清楚多了。

我这朋友得的糖尿病只是消渴的一个证型，属于肺肾阴虚、脾肾气虚之证。因是初起，急性发作，且没打胰岛素，只要治疗及时，胰腺的功能可在短期恢复，所以我让他喝山药、芡实粥，健脾补肾。二者淀粉含量都高，按西医应为禁忌，但依中药理论此二者乃健脾补肾之良将，作用最快。中医没有胰腺之说，而是把胰腺的功能当作脾的一部分来对待，所以健脾就是修复胰腺功能。但若是糖尿病病期已久，长服西药或依赖注射胰岛素的患者，胰岛分泌激素的功能几近废置，用山药、芡实调理就需要稍加慎重了，因为已经"虚不受补"，反倒成负担了。那时，不妨先从经络入手，调经补脾，更为妥帖。

面对那些被病魔煎熬的人们，我常发出这样的感叹：不要等到失去健康的时候才去珍惜健康，不要等到孤独无助的时候才去寻求帮助，不要借口我们忙就无暇顾及身体，那样你永远不会有空闲。"若要了时当下了，若觅了时无了时"，记住这句话，马上行动！

■■ **求医录**

孝心问：

小腿静脉曲张的老人可以练习金鸡独立否？如果不行，有没有功效类似的简单办法？

学习答：

这是一个需自己实际体会才可解决的问题。从表面看，腿部静脉曲张应该不适合长久站立，而且有许多人就是过去工作需长久站立得的此病。但有许多患静脉曲张的人练习此功，静脉曲张并没有加重，反略有减轻。从理论上讲，此功将气血引到足底，对改善腿部循环应有好处，但如果静脉曲张严重，或在急性疼痛期，做此功必会引血下行，冲击病灶，造成疼痛加重。所以若求稳妥，有静脉曲张的人可不练此功，可按症状不同选择相应的穴位按摩。

甘草问：

我妈妈她经常牙痛，牙齿上有个针洞大小的洞，并没有其他上火，牙龈红肿，这几天疼得特厉害，看人都成双层的了，牙肉看起来有点萎缩。我让我妈用白酒加盐煮开后含在口里，并按摩中冲穴、肩井穴、下关穴、合谷穴，但只是缓了一点，还是一直在痛，痛得我妈妈说要去医院把它拔掉(以前就因此脱了两颗)。看妈妈痛苦的样子，我又帮不了她，真是好难过。所以还请先生看看。

光明云答：

我知道一个办法可以治你母亲的牙痛，很简单，就是在嘴里含几片苦参。这可是扁鹊传下来的神方，史书上有记载的。

Hhhwws 问：

我母亲患慢性病（乙肝）10年，请问如何调理肠胃为好？喝高博特盐水已有3年，感觉有点效果（以前常滞胀、呕吐，现改善），也坚持早睡养生，但仍腰椎突出，不知还要注意些什么？

中里巴人答：

对于迁延不愈的慢性病，我们最稳妥有效的方法就是调理脾胃而不去管其他症状。调理脾胃最平和有效的方法，就是喝山药薏米粥。两者打粉熬粥，1:1的量。

山药以河南怀庆府所产最为上乘，也称淮山。山药打粉易煮易于消化。操作很简单，用家用榨汁机或豆浆机打粉一分钟就打好了，味道很好，还可加些砂糖调和。对于小儿尤为适宜，功效卓著，无药能及。

宝宝问：

我母亲70多岁，她的舌头中间常年有道很深的沟痕，请问是怎么回事？

另外，她自己施行一招三式养生法半年多来身体状况好了很多，现在十分爱吃肉，一顿不吃都觉得心里亏得慌（之前不怎么吃），饭量也增加很多，请问这是好的现象吗？

Jnc 答：

您的母亲恐怕有些阴虚火旺，如果舌头还胖、边缘有齿痕的话，也可能有脾虚。吴老师的一招三式目的就是改善气血，消化改善后一定胃口很好。俗话说有胃气能医治百病，一个人能吃很好，只要她是真的很饿那种吃。如果她爱吃肉，就不要限制，不过多吃些牛肉、鸡肉、鱼肉比较好，肉不用刻意限制，吃肉后最好吃些山楂丸类帮助吸收。但粮食一定要限制，因为上岁数的人消化粮食的功能已经退化，不要每顿吃太多粮食，尤其是白米精面，会刺激她的食欲，而且这些是引发"富贵病"的源头。营养代谢一两句话不容易说清楚。总之要多吃肉，多吃蔬菜、水果，控制主食，才是长气血之道。

2. 再也不怕风烛残年

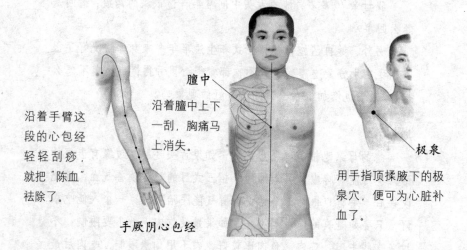

沿着手臂这段的心包经轻轻刮痧，就把"陈血"祛除了。

膻中

沿着膻中上下一刮，胸痛马上消失。

手厥阴心包经

极泉

用手指顶揉腋下的极泉穴，便可为心脏补血了。

> 我很理解老人的心情，让他看见了一丝萤光，他便希望能看到月亮。谁不渴望光明呢？更何况是风烛残年的老人？最怕眼前的黑暗，谁又知道那黑暗能有多久？

我的一位常年在京做生意的朋友，看过我的文章"孝敬父母的最好礼物"后，当晚就坐飞机飞往老家，将他76岁的老父亲接到北京来，让我帮忙诊治。我当即推掉了下午所有的事情，急匆匆赶往他家为老爷子看病。

这是个脸色红润、看似硬朗的老人。见面时，老人还一个劲地说："我说我不来，我没病，他非得把我拉来，你们都挺忙……"

我为老人把脉，除两肾脉沉涩无力外，余脉皆弦紧有力。其舌质暗红，有散在瘀斑。我抬起老人左臂，拨动其腋下极泉穴（此穴可查看冠状动脉的供血），问他手有无电麻感，他说只痛不麻。再点按其左臂肱二头肌天泉穴老人连连呼痛。又在他后背膀胱经左右厥阴俞点按，老人说这个地方一直又沉又痛，平常像背着石头，而且老觉得背凉，特别怕风。我问老人："夜里是不是总觉得心里憋闷呀？"他说："夜里总得把窗户打开，不然就觉得屋里的空气不够用，头顶出汗，可身上还怕冷。"

我当即诊断为心包经瘀阻，相当于西医的冠心病。老人说："那年在医院就查出有冠心病，大夫给开了一堆药，我怕儿子担心，没告诉他。"我这朋友听老人这样一说当时就有些急，责怪老爸说："有病您就得说，每次往家打电话，您都说身体挺好，这要不给您接来，不就耽误了吗……"老人笑着说："我了解这病，没啥好招，再重了，不是安支架就是搭桥，想着就怪吓人的，我可不做手术。郑老师，我现在是不是已经很严重了？"我故作轻松地说："没事儿，您放心，就是血液有点粘稠，经络稍微有些堵塞，一会儿，咱们就给它打通。"其实，老人随时都有发生心梗的危险。

我让朋友先到他们楼下的药店去买点药——一盒人参生脉饮，一盒血府逐瘀口服液。朋友让家里的保姆去买，我笑着命令朋友："这药你得亲自去买，效果才好。古人常说：'药必亲煎，不用侍婢。'其意深刻呀！"朋友连忙说："好，好，你说得对，我马上去！"抢过药方，他兴冲冲地下楼去了。老爷子此时也显得异常兴奋，笑着问我："还真有这些说道？"我神秘地说："那当然了，'儿子尽孝，胜服良药'呀！"老人听此一说，眉开眼笑。

其实治疗并不复杂，当时是下午3点多钟，膀胱经气血正旺，我便先在后背膀胱经两侧厥阴俞附近进行刮痧，只刮了十几下，便出了厚厚的黑紫痧。老人说刮这个地方太舒服了，都不想让我停手，我于是在此穴附近刮了足有十几分钟，出了一层又一层的痧，老人形容刮过的地方像被太阳晒着，暖洋洋的。刮完后背，休息了几分钟，老人开始觉得左臂心包经发胀了。由此可见身体从来不会闲着，只要气血充足它就会主动冲击堵塞的经络。就借着这股气血的冲击力，我便在他左侧心包经从腋下开始刮起，轻轻一刮，痧便涌出，好像早就等在那里要出来似的，而且全是疙疙瘩瘩的一个个青包。刮到曲泽穴时，刮不出痧了，老人说膻中穴附近忽然痛起来了。我说："那太好了！就要打通那里的堵塞了。"迅速让他喝了两支血府逐瘀口服液，然后便在膻中穴上下一刮，当即出来很多黑紫色的痧，胸痛马上消失。老人说现在心里太豁亮了，喘气都觉得是一种享受。

医治到此，可以暂告一段落。但老人很有点意犹未尽，想让我帮他把心包经打通了。我摸了摸他的脉，平和有力，气力还很足，就同意了。此时，他的曲泽穴有些发痒，这是告诉我们，新鲜的血液已经流向这里了。我取出梅花针，在小臂郄门穴轻轻敲了几下，然后再在上面拔上一个直径1.5寸的真空罐。同时，我仍在曲池穴刮痧，此刻出痧已非常通畅。不一会儿，真空罐里已经有了约10毫升的血，颜色紫黑粘稠。此时，老人说："左手掌和5个手指发麻发凉，好酸呀！而且心里略有些慌乱无力。"我让老人马上喝下早已准备好的生脉饮两支。然后我用右手拇指按揉老人左手手心劳宫穴，不到一分钟，老人又重新精神抖擞起来，并惊讶地说："过去也老喝这生脉饮，从来也没有今天这种感觉，好像这药是直接倒进了心脏里似的，当时心里就舒服了。"我说："您现在喝这药，一支顶平常十支，能全部吸收。您最需要的时候它才最补。"10分钟后当我取下刺血罐时，一股热流随即流向老人的整个手掌，手凉酸麻的感觉也瞬间消失了。

刺血可以加快打通经络的进程，但通常会加大心脏的负担，需及时培补才行。最后，揉老人双脚的太冲至行间，为心脏及时补血，取五行中"木生火"之意。此时补血的效果事半功倍,"只有倒出脏茶,才能倒入新茶","陈血不去,新血不生"。到此,治疗宣告结束。

老人欣喜若狂,和我也不再生疏客套,对我说他还有前列腺炎、耳聋、痛风、腰椎间盘突出,想让我都给看看。我那朋友惊讶地说:"老爸,您怎么一下冒出那么多病呀,是想要累死郑老师吧?"我很理解老人的心情,让他看见了一丝萤光,他便希望能看到月亮,谁不渴望光明呢?更何况是风烛残年的老人?最怕眼前的黑暗,谁又知道那黑暗能有多久?

我起身向老人告辞说:"伯父,别着急,病得慢慢治,您多住些日子,我把您的病都治好了,您再回去。"老人很激动,眼圈也有些湿润。

送我回去的路上,我那朋友对我说:"今天是我这几年来最开心的一天,比赚几百万都开心。"

我说:"我想把今天的事情写到博客里去,你没意见吧?"他睁大眼睛,连连点头说:"好呀,好呀,一定要把我的心情也写进去。"

朋友的心情我无法非常准确地表达,我自己也是百感交集。能帮助老人摆脱病痛,能帮朋友达成夙愿,能让一个家庭在瞬间便充满阳光和希望,真是件令人无比欣喜的事。但想到网上那么多朋友的疑难困惑,那么多沉疴顽疾,那么多忧愁恐惧,我这蝇头之火,在这漫漫长夜,又能照亮几人?!

■ 求医录

蚊子问:

我母亲常抽筋,一抽起来就痛得要命,不能动,一般是手和脚抽。抽的时候可以看到痛的地方的血管是凸起来的。还有就是头痛。她痛的时候，我父亲一般都帮她按摩，按抽筋和痛的地方，有时很有效，有时就作用不大。有时会用电吹风（吹头发那种）用热风吹。请教老师，这样做有用吗？有什么方法可以治呢？平时要注意什么呢？

中里巴人答：

抽筋、头痛，病多在肝、脾。如口干想喝水，则可服加味逍遥丸、明目地黄丸，口不干则可选逍遥丸、柏子养心丸。若买药方便可加八珍颗粒2袋和三七粉1瓶（同仁堂所产效佳）。日常可服些大红枣以养血。按摩可选肝经太冲、脾经太白、血海以及胆经风市、阳陵泉。

May 问：

有一位老人家，上腹位置体表温度特别冷，加上很湿重及有便秘，可能是什么问题，可以有那些穴位合用？

中里巴人答：

湿重又有便秘的老人家可以吃些参苓白术丸，1袋／次，一天三次，饭前空腹吃。上年纪的人多数是因气虚无推动之力造成便秘，吃这个可以健脾胃之气，增加推动力，还可以利湿。同时还帮助排除浊气，放屁比较多。老年人最好不要吃寒凉的泻药和通便的药物来解决便秘问题。

另外，吃药同时，配合经常按摩脾经的阴陵泉（去湿）和胃经的足三里（治胃），以调整脾胃，去除湿气。

如果有条件，可以给老人常熬山药（药店里卖的）加薏米一起磨粉做成的粥，帮助健脾利湿，比例为1:1。

贤孙问：

老外公80多岁，前几天告知老妈手脚无力，有时连话都说不出来，想来年纪大了，身体也不行了，两年前还好着呢。老外公不抽烟，不喝酒，不生气，是个好老小孩。薏米粥可否服用，或参苓白术丸？饮食上再做相应调整，少主食，多蔬果，肉类？枸杞＋红枣＋桂圆＋粳米适合吃吗？天冷时我们常吃的。老外公想来应该多补补气血的，我们还想让他做个百岁寿星呢！他现在在服西洋参茶，觉得精神会好一些。

中里巴人答：

祝老外公长命过百！给老人用药要慎重，气力不足，先补气血，要补气血，先健脾胃。山药薏米粥老少咸宜，但老人通常气阴两亏，如喝洋参茶有效，更属于此种类型。山药和薏米的比例就要2：1，而不是1：1，因为薏米有利湿消肿的功效。对于气力太差的老人来说，这一"利"一"消"也是要耗费体力的，所以薏米要减半了。你家的四宝粥也很好，可以继续；但对于老人来讲，肉还是尽量少吃。性味寒凉的蔬菜和水果也要尽量避免。主食相对好消化些。尽量按老人的胃口，不要太苛求营养。

禾日问：

我妈妈今年53岁了，可这几天她的膝盖有些酸痛，有时晚上睡觉她说膝盖一阵一阵不舒服，不知道按哪些穴位可以帮她解决这一问题？

中里巴人答：

有提供一个治疗膝盖痛的小功法。那就是在软硬适当的床上练习跪着走路，每次5分钟。（这个功法使许多老年患有膝盖痛的朋友摆脱了困扰，最快的只用了3天的时间）。

3. 颈椎病——可以随手而愈的病

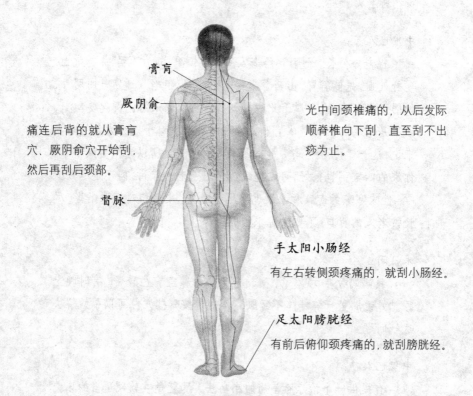

膏肓

厥阴俞

痛连后背的就从膏肓穴、厥阴俞穴开始刮，然后再刮后颈部。

督脉

光中间颈椎痛的，从后发际顺脊椎向下刮，直至刮不出痧为止。

手太阳小肠经

有左右转侧颈疼痛的，就刮小肠经。

足太阳膀胱经

有前后俯仰颈疼痛的，就刮膀胱经。

> 颈椎病主要是由两个原因引起的：一是心血管瘀阻造成的颈部供血不足，另一种是脊椎受损在先（主要是腰、骶椎的劳损），进而影响了颈椎的供血。知道了病因，解决起来并不难，用刮痧配合按摩的方法最妙。

总说西医治标、中医治本，但究竟"本"是什么，似乎就没有人再去追究了，好像吃了中药就治了本了。另外有人觉得中医疗效慢是中医在治本，因此也就无怨无悔地去吃上一年甚至几年的汤药；尽管无效，也仍觉得是顺理成章，治本嘛，哪有那么快的！

其实，很多时候如果能真正找到病本，中医治疗起来并不缓慢，而是非常迅速、立竿见影。

病本，也就是病根所在。除了我在前面已经列出的体内"三浊"和体外"两害"这五大总的病因以外，具体到每个病有各自的病因。

拿颈椎病来说，类型最多，但普遍治疗效果不佳，就是因为病因不清，没有对应的治疗之法。其实，颈椎病主要是由两个原因引起的，一是心血管瘀阻造成的颈部供血不足，另一种是脊椎受损在先（主要是腰、骶椎的劳损），进而影响了颈椎的供血。知道了病因，解决起来并不难，用刮痧配合按摩的方法最妙。例如，有前后俯仰颈痛的，病在膀胱经，就先刮膀胱经；有左右转侧疼痛的，病在小肠经，就先刮小肠经；痛连后背的就从膏肓、厥阴俞开始刮，然后再刮脖子；只是中间颈椎痛的，从后发际顺脊椎向下刮，直至刮不出痧为止。

使劲刮都不出痧的人，就用按摩法；但不可光按摩颈椎，一定要上按摩入发际，下按摩至尾椎，对整条督脉进行按摩。用掌根或肘按摩较为方便，痛点处要仔细按摩直至不痛。按摩颈椎时一定要轻柔，绝不可贸然用力，否则易造成颈椎的进一步损伤。掌握了这种刮痧和按摩法，通常的颈椎病随手而愈。

■■ 求医录

屑屑沉香问：

由于职业的原因我有颈椎病。去医院拍了片子，医生建议牵引，但是我没有时间每天去医院。后来听从朋友的建议改睡很低的枕头。一段时间以后，右手手指发麻的现象有所改进，可是几个月后右肩突然出现问题，现象跟肩周炎一样，往后背手很困难。我去医院做按摩，按摩大夫说就是肩周炎，只要坚持按摩一周左右情况就会有所好转。可是，我坚持按摩超过了一周，情况不但没有改善，反而更加严重。现在往后背手越来越困难，甚至早上梳头都有困难，真是愁死我了。但是我发现一个现象，跟周围有肩周炎的人不太一样，就是我每天右胳膊在痛的时候，右手臂上部的肌肉似乎也在拧着痛。而且不断有"落枕"现象，也在右边。每天洗完热水澡以后，手臂就可以比平时抬得轻松。我注意了一下，是因为洗澡时脖子下部始终在热水的冲淋中，我并没有刻意去冲右胳膊。

请问，我的胳膊疼痛是否不是肩周炎，而是颈椎病引起的呢？我该怎么做？

中里巴人答：

颈椎病和肩周炎在中医眼里恐怕只是路经脖子和肩膀的几条经络的瘀滞造成的，经过脖子和肩膀的主要有膀胱经、胆经、小肠经、三焦经、心包经。您最好参照经络小人，找找肩膀、脖子最疼的点在哪里，找到后可以刮痧疏通一下瘀阻的经络，或是在痛点拔罐，常有立竿见影的效果。刮痧常先刮膀胱经、小肠经、胆经。

4. 类风湿——可以让家人帮着治愈的病

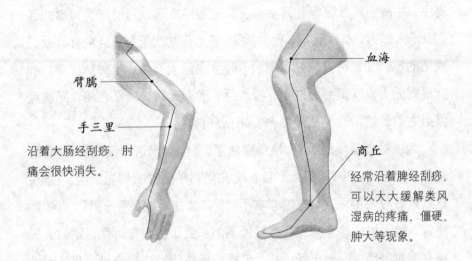

臂臑

手三里

沿着大肠经刮痧，肘痛会很快消失。

血海

商丘

经常沿着脾经刮痧，可以大大缓解类风湿病的疼痛、僵硬、肿大等现象。

> 每天跪着在床上走一走，这样可预防膝盖痛，且一定不要按摩疼痛的关节，否则易增生变形。

儿子同学的妈妈方女士来访，说让我给看看一张中药方，评价一下其疗效怎样。

方女士40岁出头，患类风湿有好几年了。因为婆婆是西医专家，所以一直吃着西药，据说都是进口药，但一直没什么效果，连早上起来的晨僵问题也没解决。两个月前我在接孩子的时候碰上她，让她每天晚上睡觉前揉揉10个脚趾关节；据她说只揉了一周，晨僵问题便一直没犯，所以对我还很信服。中药方是一个60多岁、很有名气的老专家给开的，可是吃了两周没看出什么效果来。现在右臂肘关节已伸不直，西医说是滑膜炎，进一步发展就会肌肉萎缩。而且膝关节已持续疼痛了许多天，腕关节也肿胀明显。

我看了看药方，不过是些鹿胶、紫河车、仙灵脾、清风藤、全虫、寄生、牛膝、藏红花等补肾活血、散风通络之药，乃治疗类风湿的通剂，千人一方，难说优劣，便对她说："此药吃吃无妨，但难有显效。"摸她的脉，发觉两肾脉并不虚弱，心脉也浮大有力，唯脾脉沉涩，肺脉缓弱无力，脉涩必为血瘀。看其舌，光剥无苔，质红色暗，乃脾经瘀血之象，通常也是久服西药、重伤肝脾所致。

她说她心情坏到极点，快要崩溃了，害怕自己这样慢慢就会瘫痪。我笑了笑，说："哪有那么严重？现在你哪里痛？咱们先治治。"她说这几天右肘痛得厉害，书包都拿不动。我按住她的"手三里"，再让她伸臂，她说按住这个"穴"胳膊就不怎么痛了。我告诉她，她的大肠经有瘀血阻滞，刮一下痧，马上就好。于是让她将起衣袖，我顺着她大肠经的"臂臑"往下一直刮到手三里，刮了5分钟，出痧较多，且在"臂臑"穴刮出一个大青包。再让她伸臂，已自如无碍。她说这两天早晨食指一直在痛，我说食指也归大肠经管，所以这下就全好了。然后我再看她的膝盖痛点，正好压在脾经上，我就指出脾经从"血海"到"商丘"的循行路线，让在旁边早就跃跃欲试的她先生帮她按摩。有了先生的关爱，疗效绝对不同。

果不其然，她先生只为她按摩了3分钟，她就可以随意蹲起而不痛了。我对她说，回家一定要吃山药薏米粥，把脾胃好好养养，估计一个月就可长出正常舌苔来；另外，每天还要跪着在床上走一走，这样可预防膝盖痛，且一定不要按摩疼痛的关节，否则易增生变形。她临走时把那药方一撕，说："我也不吃这药了！"我觉得可乐，说："不吃就不吃，有老公亲自按摩，比啥药都灵。"

5. 中风后遗症——这样治就能重新站起来

要治疗中风后偏瘫，就如同挑水抗旱，要采用"导引灌注法"，重新分配气血资源……

　　采用健侧、患侧同时治疗，无外乎"平衡"二字。不平衡又如何呢？打个比喻，狼妈妈下了一窝小狼，由于出生先后和发育的原因，有的个大强壮，有的则十分弱小，在喂奶的时候，总是强的比弱的先抢到奶水。这就造成了强的总能得到营养，而弱的越来越差。健康一侧就好比强壮的幼崽，在机体里总能抢夺到绝大部分气血，而弱小的患侧就永远抢不到气血，永远没有滋养，无法恢复。而这个治则解决的就是两者之间的不平衡，让它们重新站在同一个起点上，从而使身体的气血得以重新均衡分配，当患侧解决了气血滋养的问题，康复也就指日可待了。

　　缺血性脑血管疾病通常没有死亡的危险，却使很多人只能瘫痪在床，与轮椅为伴，生活无法自理。西医对于偏瘫后遗症基本上没有任何有效的治疗，除借助中医的针灸、按摩以及一些理疗手段外，让患者尽早地进行康复训练成了西医的必修课。我在国外的一家康复医院目睹了这种康复训练，病人非常痛苦，是医生和患者之间强行的对抗性治疗：用特定的器械将患侧屈曲萎缩的肢体固定，然后强行拉直，以患者耐受度为限，真是像上刑一样，患者在心理和身体上都非常抵触，疗效可想而知。几个月下来，基本上没有什么实质性的进展，患者还饱受身体和心灵的摧残。

在中医方面，古代医家对中风后遗症的论述很少，且在认知上多有误区，认为是外感风邪所致，以散风通络为治疗大法。此法治疗面瘫或有疗效，要治疗卧床不起的偏瘫则百无一效。直到清代出了医学大家王清任，主张"中风无风"，是身体气血亏少所致，发明治偏瘫名方"补阳还五汤"，才使得治疗中风偏瘫有了正确的理论依据。现代医家治疗此病时也大多以本方为基础，加减出入。此方对于早期较轻的偏瘫确有疗效，但是王清任先生自己也说："此法虽良善之方，然病久气太亏，肩膀脱落二三指缝，胳膊屈而扳不直，脚孤拐骨向外倒，哑不能言一字，皆不能愈之症。"

药物的作用有限，所以更多的人把最后的希望寄托在针灸上。虽然从各种媒介多次听说针灸治疗偏瘫的神技，但事实并不如此乐观。走访一下各大中医院的针灸科，能治好半年以上偏瘫后遗症的针灸大夫绝对是凤毛麟角。为什么会这样呢？主要是治疗的方法有误。

这里浅谈一下在治疗中风偏瘫中我的一些看法与经验，对于用心于此病的医者或许能有些帮助。

古人立方先立法，万变不离其宗，方只是法的一个实例，用以说明此法如何应用，非此法必用此方。而现今的人多执著于方子本身，忽略了立法是用方的先决条件，用一方而治纷繁百症的现象比比皆是——不是方子疗效不好，是使用方子的人不善于发挥它们的效用。

以补阳还五汤为例，现在治疗中风无不将其视为首选，再加上地黄饮子、镇肝熄风汤等几个方，套来套去，难以见效。清任先生说"半身无气便半身不遂"，是说病果而非病因，因何半身无气？如果是单纯气虚者果便为因，直接用补阳还五汤即可药到病除；但临床上纯虚的患者很少，皆是杂因致虚，或气郁，或痰结，或血滞，或肝风实，或肾阴虚，杂然纷呈，直接用补阳还五汤难以见效。抱一方而治百病、守株待兔的治疗思路实在不可取。

应该根据清任先生当初确立此方的思路来治疗中风后遗症，而不必要非使用这个方子。不遂是因半身无气，只要将气血灌注到无气的一侧就可成功。我这里要提的就是"导引灌注法"。

传统的治疗，针对患侧断流的原因多用药来治疗，而针对患侧的肌肉萎缩、功能衰退则采用只注重于瘫痪一侧的针灸、按摩等等的理疗治疗，但往往效果不理想，为何呢？把患侧比喻成北方旱季的庄稼田，本身就缺乏水源肥料，此时按摩针灸无异于在干裂的大地上翻地、松土，而无法引来河水（气血）的灌溉，此时再好的种子、再辛勤的耕作也不要期望会有收获。而劳动又白费患侧有限的气血，患者如何能得以康复？

此时再看看健康一侧，就好比南方的水田，饱受着水灾暴雨的蹂躏，气血过剩而无处发泄。如果能将两地的资源重新分配一下多好！

所以我采取的措施便是"南水北调"，重新分配气血资源，原则是："健侧流而不留，患侧留而不流，抒其所欲发，勿强开其所闭。"

流是疏通推动之意，留是静候保存之意。可选用于砭、针、灸、按摩、拔罐、导引诸法中，在患侧的干涸之田中挖井、修渠、建水库，做好基础设施的准备工作，然后就静候气血的到来。此时患侧本无气血，即使强行打开通道也得不到灌注，只能等。与此同时，治理健侧气血泛滥之地，用按摩健侧的方法使这里郁积过剩的气血可以流向患侧事先挖好的水库、河渠和水井，从而解决患侧的饥渴（气血不足）。

采用健侧、患侧同时治疗，无外乎"平衡"二字。不平衡又如何呢？打个比喻，狼妈妈下了一窝小狼，由于出生先后和发育的原因，有的个大强壮，有的则十分弱小，在喂奶的时候，总是强的比弱的先抢到奶水。这就造成了强的总能得到营养，而弱的越来越差。健康一侧就好比强壮的幼崽，在机体里总能抢夺到绝大部分气血，而弱小的患侧就永远抢不到气血，永远没有滋养无法恢复。而这个治则解决的就是两者之间的不平衡，让它们重新站在同一个起点上，从而使身体的气血得以重新均衡分配，当患侧解决了气血滋养的问题，康复也就指日可待了。

■■ **读者文摘** ▅▅▅▅▅▅▅▅

"古人立方先立法，万变不离其宗，方只是法的一个实例，用以说明此法如何应用，非此法必用此方。而现今的人多执著于方子本身，忽略了立法是用方的先决条件。"先生所言极是。在下以为这种态度多少和整个社会的价值观念和文化素养有关系。现在的社会太过急功近利，身处其中的许多人变得本末倒置，一心想要走捷径，却忘记自己的目的地在哪里和为什么要往这里走。

(蓠)

我是中医临床专业的学生，每天接触最多的就是中风的病人，其中恢复期占大部分。如先生所说，的确是以补阳还五汤、地黄饮子、镇肝熄风等寥寥无几的几个方，套来套去，加上针灸，结果确实疗效甚微。

(阿符)

6. 尿毒症——清一色的胃经虚弱

肾就好比是一台电风扇，气血就是电能，而胃经就是线路。电扇不转动有可能是停电了，或是线路出了故障……

气血

胃经→　肾脏

> 肾就好比是一台电风扇，如果打开开关它却不转，很有可能是停电了，或是线路出了故障，不见得是电风扇本身出了问题。气血就是电能，而胃经则是线路。由此推断，只要气血充沛，经络通畅，肾脏得到了足量的气血供应，就能够正常工作，而没必要对"电风扇"本身修来换去。

尿毒症实在是医学界的禁区，无论中医西医都望而却步。相对有效的方法是透析，最终换肾，这已成了治疗此病的定例。人们关心的是如何找到合适的肾源而不是找到病因，似乎尿毒症的罪魁祸首就是这个"倒霉"的肾了。

一个偶然的机会看了一组尿毒症患者的经络测试图，是用刘亦鸣教授发明的经络仪测试的，图中显示的结果令我大为惊讶——清一色的胃经虚弱，且虚弱程度极高，而肾经却只是略为虚弱而已，由此看来肾脏是代人受过了。西医的治疗，透析只是暂时解除血液排毒的困境，而高虚不下的脾胃却没多少人关注。

中医认为脾胃是气血生化之源，而胃经又是多气多血之经。金元时期的医学大家李杲就曾说："脾胃虚则九窍不通。"《黄帝内经》则云："痿症独取阳明。"尿毒症可以说是肾痿之证，而阳明正是胃经，所以肾功能衰竭是由于脾胃气血供应不足造成的。

肾就好比是一台电风扇，打开开关它却不转，很有可能是停电了，或是线路出了故障，不见得是电风扇本身出了问题。气血就是电能，而胃经则是线路。由此推断，只要气血充沛，经络通畅，肾脏得到了足量的气血供应，就能够正常工作，而没必要对"电风扇"本身修来换去。

■ 求医录

蚊子问：

我母亲已经做腹膜透析，效果并不如医生的书上所说的"与常人无异"，现在胃口可以，可是不能大便，她吃辣椒有时能解决这个问题。请问这个能吃吗？还有晚上常失眠、心烦，常心慌（是不是叫心悸）。做心电图，结果正常，就不知道怎么治了。要怎么解决她的失眠问题呢？

中里巴人答：

如果吃辣椒确实能解决她的便秘问题，又没有其他的不适症状，自然可以吃。要看看她的体质是属于偏寒的，还是燥热的。如果总是手脚热，喜冷食，大便干，脉搏每分钟在80次以上，是属于热性体质，可选择中成药天王补心丸，养血安神去心火而通便（大便稀则不可用）。如果心中烦热难以睡眠，也可试试同仁堂的牛黄清心丸。如果是体质偏于寒凉，则宜用同仁堂的柏子养心丸，补气安神的效果也很好，增长气血也很快。若体质不寒不热，同仁堂的人参生脉饮补气养心的效果也是不错的。

7. 治疗近视眼的速效法

> 转眼的要领在于头始终朝前端不动,只动眼,不动头。向左转时,目光要极力向左,能看多远看多远,但头不能向左转;向上转时要极力向上看,但不许仰头;向右和向下也是如此,极目而视。转动的轨道应为圆形,而不要只是左、上、右、下4个点。顺时针转完25次后,再逆时针旋转25次,这时会感到后颈发酸,关键就在这,必须要转到后颈发酸才有疗效,只有此时眼部的肌肉神经才已经和后颈的肌肉神经接通。

中医讲肝开窍于目,肾注精于目,所以对许多眼疾中医都从肝肾来调治;中药的羊肝明目丸、石斛夜光丸、明目地黄丸等等,无不遵循这种治疗原则。但是,这些方法对于治疗近视疗效却不佳,根源就在于近视更多是由于长期的眼部肌肉疲劳造成的,问题并不在深层脏腑,而是在经络层面。明白了这一点,近视的问题就可以迎刃而解。

直接调控眼部肌肉供血的是膀胱经的后颈区。眼部的肌肉我们无法直接调控,触及不到,但我们可以把眼部的肌肉和后颈的肌肉连接起来。通过调节后颈肌肉就可以治疗眼疾,岂不是非常便利?

一个人只要每天花一丁点时间,就可以做好这种连接。把这个方法教给你的孩子和身边的朋友吧!

一、转眼球。先按顺时针方向转眼球,转动速度须极慢,左、上、右、下,转眼的要领在于头始终朝前端不动,只动眼,不动头。向左转时,目光要极力向左,能看多远看多远,但头不能向左转;向上转时要极力向上看,但不许仰头;向右和向下也是如此,极目而视。转动的轨道应为圆形,而不要只是左、上、右、下4个点。顺时针转完25次后,再逆时针旋转25次,这时会感到后颈发酸,关键就在这,必须要转到后颈发酸才有疗效,只有此时眼部的肌肉神经才已经和后颈的肌肉神经接通。

二、这时只要按摩后颈的肌肉,酸痛感很快就会消失,而这时会感觉眼部异常轻松。

通过短短几周的锻炼,视力会大幅度地提高,且可以预防其他眼疾。

■ 求医录

无奈问:

我按您说的方法转眼部,倒是能感觉到和颈部肌肉相联,但同时也感觉眩晕,不知道是怎么回事?

中里巴人答:

转眼球感觉眩晕可能有3种情况:一是颈椎病,脑供血不足。转眼前先按摩颈后的风池穴就可解决。二是胃肠病,气阻于胃脘,这和晕车是一个道理。觉眩晕时用手指肚从心窝处向下推按到肚脐处,打一个嗝,眩晕顿消。三是肝肾血虚,同时会有眼睛长期酸涩干痛的情况。需平时再吃些石斛夜光丸,内外同治,便会有效。

小蜜蜂问:

我转了很久的眼球,也是慢慢转的,脖子没有动,可是一点酸痛的感觉都没有,只是眼睛的疲劳有好转。我视力一直很弱,近视七八年了吧,也不戴眼镜。为什么会后颈不酸呢?我在担心别是眼睛肌肉神经连不上了?

中里巴人答:

我想您虽然是慢慢地转眼球,但是"极力"二字至关重要,向左看时就要"极力"向左看,能看多远看多远,向上看时就要"极力"向上看，能看多高看多高，但头始终得保持中正不动。向右、向下看也是如此。如果您能像我说的这样"极力"去看，想要脖子不酸，还真是不容易呢！别着急，再试试。

清澈如水：

给大家一个用黑豆治疗近视的方法，简单之极，很多人尝试过，很管用。

黑豆和红枣按1:1比例一起煮着吃，每日吃一点，对轻度近视（400度以下），也即假性近视，很管用。邻居家孩子上中学近视了，按方子煮过，吃了段时间就好了。不过，这对更深点的近视疗效不明显。有小孩子近视的不妨一试。

网友：

我练了瑜伽几年，瑜伽有相似的动作，还可以配合其他动作，治疗成年的近视改善明显，当然要坚持才有用。和大家分享一下。

1.每天半小时或者一小时眺望远处，比如远处的树木、屋顶，越远越好，仔细把视线集中在远远的一点。

2.眼睛疲劳时候可眼观鼻子5秒，再看远处5秒，反复3次以上。

8. 补中益气丸等药治便秘最见效

> 这里介绍3种常用的补脾胃养气血的小药——补中益气丸、参苓白术丸、柏子养心丸。这3味药你若只看说明会很失望，不但不治便秘，反而主止泻。别管它，要知道，若想长久保持大便通畅，那就一定要脾胃强壮才行。其中，如便秘伴有肛门下坠、内脏脱垂的用补中益气丸为好，失眠心悸的用柏子养心丸更佳，参苓白术丸则对便秘腹泻交替的有特效。

便秘，大家多多少少都有过亲身体验：有的是偶然饮食所伤，造成肠内大便干结，此时吃些通便泻火的药很有效果；可大部分便秘患者则是长年饱受煎熬，无论是多吃富含纤维多的蔬菜水果还是用泻药，甚至用开塞露都不能解决问题，长此以往，极其痛苦。

要治疗便秘，首先从观念上要有所改变。一般我们认为大便下不来那就要通，各种方法都是围绕在肠子那一亩三分地费心思，最多采用的是泻法。无非是大便水分不够给湿润一下，纤维素不够多吃点……其实我们多数人的便秘不该吃泻药，反倒是要吃些补药才对。为何呢？多数时候我们感觉大便并不是很干很硬、堵在肛门口出不来，而是我们觉得肛门下坠、有大便的感觉，可是去大便却没有，或者即便有也是细细的一点，还总便不干净。这种现象以老年人、久病不愈的病人、虚胖或瘦弱的人最多见。其产生的原因是肠子自身没力气往前推动，就算你腹肌再用力压，此时的肠子就像刚跑了几千里的马一样，累得再抽打都懒得动弹了。造成肠子无力的原因还是脾胃虚弱、气血不足。既然是因为虚，治疗起来就该像对待马一样，让其好好休息、喂养，把脾胃补强壮了，气力充沛后自然大便就痛快了。泻药则像再给疲惫不堪的马匹抽鞭子一样，最好少吃或干脆别吃了。

要想将大便迅速排出体外，就要借助气血作为载体。吃补药的目的就是补充气血。这里介绍3种常用的补脾胃养气血的小药——补中益气丸、参苓白术丸、柏子养心丸。这3味药你若看说明会很失望，不但不治便秘，反而主止泻。别管它，要知道，若想长久保持大便通畅，那就一定要脾胃强壮才行。其中，如便秘伴有肛门下坠、内脏脱垂的用补中益气丸为好，失眠心悸的用柏子养心丸更佳，参苓白术丸则对便秘腹泻交替的有特效。即使没有上述特别症状，这3种药也可以随意选用，不必拘泥于说明所限。

此时或许有人问，你这方法固然治本，却不能救急呀！告诉你一个秘诀：将这3种补药中的一种和你觉得有效的泻药同服，会发现，补药的力量会加到泻药上，在泻得更畅快的同时又不伤脾胃。补药就像火箭，泻药就是弹头。这个方法尤其适合热性体质而又便秘的人。

顺带说说，吃肉多了容易便秘的人多数是脾胃消化能力不好，此时若在饭后服用些类似大山楂丸、加味保和丸等消食化腻的中药，可以起到预防的作用。

另，有朋友提醒，柏子养心丸内含朱砂有毒成分，故我在此不建议大家多吃久服，若仍有些困惑疑虑，索性不吃此药，免得落下心病，更难医治。

9. 80% 的妇科病都应从调理月经入手

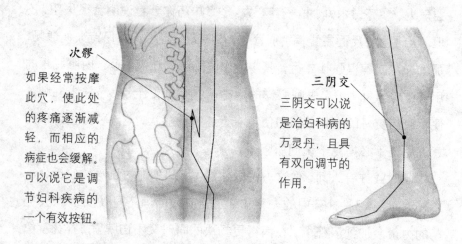

次髎

如果经常按摩此穴，使此处的疼痛逐渐减轻，而相应的病症也会缓解。可以说它是调节妇科疾病的一个有效按钮。

三阴交

三阴交可以说是治妇科病的万灵丹，且具有双向调节的作用。

> 对于月经病的治疗主要从肝、脾、肾三脏入手，现在告诉大家两个重要的穴位，如果能在每天点按它们几分钟，会非常有益。

80% 的妇科病都与月经不调有着直接或间接的关系，所以调顺了月经，很多妇科病就可不治而愈；而忽略月经问题，则会给许多女性朋友在以后的生活中留下诸多隐患。常见的月经问题主要有：痛经、经前乳房胀痛、经期头痛、月经提前、月经错后、月经淋漓不止以及月经后腰痛等等。这些问题早期发现，及时调理，并不难治。

对于月经病的治疗主要从肝、脾、肾三脏入手，现在告诉大家两个重要的穴位，如果能在每天点按它们几分钟，会非常有益。

1. 三阴交

三阴交是妇科的首选要穴，我们应该重视它的作用。它可以说是治妇科病的万灵丹，且具有双向调节的作用；也就是说，它能通利又能收摄、能活血又可止血、能滋阴又可利湿，根据个人不同的体质而对机体产生有利的作用。此穴又非常好找，在脚内踝尖上7厘米左右、小腿胫骨后缘的地方，用手按时较其他部位敏感。

2. 次髎穴

在臀部尾椎附近的次髎穴也是防治和诊断妇科病的重要穴位。只要有妇科问题，不论这问题是出自子宫、卵巢还是附件，点按此穴都会极为敏感。如果经常按摩此穴，使此处的疼痛逐渐减轻，而相应的病症也会缓解。可以说它是调节妇科疾病的一个有效按钮。

以上是简单而有效的外治法，若能同时进行内部调理，效果一定会更好。如何调理呢？可常备一些小成药，如逍遥丸和加味逍遥丸。二者是治疗月经病非常有效的成药，对70%以上的月经不调都能起到作用，对早期的乳腺增生也有良好防治作用。

逍遥丸，顾名思义，就是让精神愉快，消除郁闷。不论是月经病还是乳腺增生，以及更年期综合征，都和情志抑郁有着直接的关联。

加味逍遥丸与逍遥丸有何区别呢？就在"加味"两字。加味逍遥丸是在逍遥丸的基础上加了丹皮和栀子两味凉血去火的中药。

如果你觉得自己是火气较旺、口干、喜欢饮冷的人，可选择加味逍遥丸；若是无火体质且不爱喝水的，那就用逍遥丸最好。

一般临月经前三四天开始服用，到月经时可暂停，觉得舒服也可继续多服两日，会感到月经很顺畅。

另外还有其他调理用药效果也不错：

由于月经会耗掉人体大量的气血，所以在月经后有许多人会有头晕乏力、腰酸腿疼的症状。这时只需在月经快要结束的时候赶快吃点六味地黄丸。如是虚寒怕冷的人可选用十全大补丸，就可防止月经后体虚的问题。

如月经淋漓不止，通常是脾不统血、气虚下陷造成的。可在平日吃补中益气丸，每日吃红枣数枚，在来月经时可服用八珍颗粒两袋和三七粉一瓶。三七粉最好用同仁堂的，以确保药效。

如果每次月经量少，滞涩难下，或久久不来，可在平日里经常以山楂煮水服用，偏虚寒者可加些红糖同服。

如能按以上方法进行防治，我想从此女性朋友的月经问题将能得到很大的改善，而且身体的各个方面（尤其是美容方面）也会因此大受裨益，祝愿女性朋友们月月顺利。

■ 求医录

白玉微瑕问：

我2002年顺产生下女儿，除了42天复查以外，没有再做过妇科检查。今年单位组织查体，结果宫颈涂片显示的是"炎性反应性细胞改变（中）"，妇检的时候宫颈光滑，医生说有"旧裂"，应该是生孩子的时候留下的。我平时并没有任何不适的感觉，不知这种情况需不需要医治呢？

另外，我月经周期比较短，25天左右，平时食欲不错，有时舌苔白厚，有口气。16岁时曾经得过阑尾炎，从那时起，下午只要没有及时吃饭，就会饿得胃疼，吃过饭后还要用热水袋暖半个小时才会好转，不过近几年有所好转，这种情况只是偶尔才会出现。我这种情况可以吃加味逍遥丸吗？

Jnc答：

炎性反应性细胞改变（中）多数是对宫颈炎的检查结果，就是怀疑子宫颈有炎症发生，但您的子宫颈光滑，也不肥大，也没糜烂和息肉，那么炎性反应性细胞改变（中）可能是您旧时生产的宫颈裂伤造成的。如果没有白带分泌和味道异常等宫颈炎表现，就不用太担心，定期复查就好了。

从舌苔来看，您属于脾胃有寒，还有胃疼需要热水，也是寒。若平时月经前烦躁、抑郁、容易激动或心烦严重，可在经前一周吃些逍遥丸，若还伴口干，可以吃加味逍遥丸，不过月经平时量很多就不太适合吃了。

平日注意脾胃，少吃生冷和寒性食品，每天可以用推腹法保健一下，将脾胃或肝经的废气排泄掉，以引气血重新灌注而解决脾胃寒的问题。尤其注意胃经沿线的痛点瘀滞，还有肚脐周围的压痛点，这样长期按摩可以调理隐藏的慢性炎症。胆经和胃经大腿的部分要经常敲敲。

明明问：

我35岁，生一子8岁了。觉多，每晚10点就睡了，睡到早6点，但不踏实，从入睡到醒一直有梦，有段时间每晚都梦见被追杀。现换了工作，心情较好，但仍是每晚有梦。早晨醒来觉得累，每天上班要先喝一杯咖啡提神，平常爱喝绿茶。有口气，一早刷了牙，差不多早10点就觉得有口气。大便每天都有，但总是黑绿色，且粘。每月例假前面部起痘，现在在美容院每周做一次刮痧，面部不起痘了，略有成效，但其他方面还是没有改善。我原是北方人，3年前来南方定居，自己不想来，是跟丈夫来的，刚来时心情不好，也没朋友，现在好一些。还有我不怕冷，常想喝冰饮。恳请先生给以指引，有什么好的调理方法呢？或配合一些什么中成药呢？

Jnc答：

根据您的描述，您应该是脾胃虚、有湿热和痰饮的体质。而咖啡是很容易生痰的东西，常喝虽然提神，但对您的湿热体质有雪上加霜的作用。

平常可以多练习"激情的玫瑰"里的补肾功法，外加推腹和敲胃经、胆经（大腿上的）。平日多按摩复溜穴到太溪穴（肾经），太冲到行间穴（肝经），经常熬些薏米山药粥喝。少吃猪肉、牛奶等易生痰的食品。

建议您可以吃些加味逍遥丸，观察一下口渴喜冷饮和口臭的变化。口臭多为脾胃肝胆的瘀热造成，您的调理应以疏肝健脾、补肾为宗旨。

金蛇狂舞问：

我的妹妹今年23岁，17岁来潮，月经一直不正常，开始好几个月不来，量少，经期短，经历高考学习压力等因素，上大学后经常不来。我带她看病，查内分泌发现垂体泌乳素高，做了脑部CT和核磁及腹部B超都没发现异常。医生指导做人工周期，开始用安宫黄体酮后，第二个月正常来潮，后来加用了倍美丽做了3个周期，效果还可以；再后来因为她没按时用药，学习压力又大，又开始紊乱，之后又查过一次B超发现多囊卵巢（以前查过没发现，不知是因为没查出来还是用药引起的），后来又在一个中医的指导下用中药人工周期：月经干净后吃六味地黄丸、归脾丸一周，逍遥丸一周，乌鸡白凤丸5天，当归精吃至月经来潮。正常了一段时间，后来坚持不了按时吃药，停吃任何药物一年多，月经基本正常。但现在又出现了问题：今年7月份开始来月经后一直淋漓不净，一次没干净下一次又开始了。因为一直没有干净的时候，所以以前用过的中药周期都没法用，9月份干净了9天后又来潮。我妈妈听人介绍给她吃了大豆精（天然雌激素），血止住了，但很快又来了（药物撤退性出血）。我找了我们医院的妇科中医，开了止血汤剂，还没给她吃；想请教您有何良方，还要注意配合些什么，如何为她实施简单有效的经络刮痧？另外，她参加工作一年了，刚开始工作压力很大，生活很没规律，现在也常十一二点才能睡，体型瘦弱，面色青黄，经常觉得头痛，精神不好，还有胃下垂（喝水后B超检查下到耻骨联合部位）。这些问题困扰我们家人很久了，一是她的体质虚弱，二是会不会影响今后生育，烦请老师不吝赐教！

中里巴人答:

令妹现在的问题，我想应该是肝脾不和、脾不统血、气虚下陷之证。用山药、芡实（或薏仁米）打粉熬粥，经常当稀饭吃。平常多吃些大红枣，补气养血，也有止血之效。出血期间主要服用八珍颗粒两袋配同仁堂三七粉一瓶。平常每日吃两次补中益气丸，量可略大。可用艾条灸脾经隐白穴，止血调经效果最佳。

盈盈问:

我36岁，育有一儿8岁，患阴道炎已有3年，期间用了达克宁栓剂、克霉素栓剂等，均用时缓解，下月即又发作。服中药快半年了，停用栓剂3个月，只用中医开的外洗药煎汤外用，仍然没有好转，从原来的霉菌性阴道炎已转变为混合性阴道炎。长期坚持蒸煮内裤，现在房事减少很多，顽疾未能减轻，实在苦恼。请问有没有办法？

中里巴人答:

请问您平时白带的颜色是什么，形状如何（稀还是稠，是否豆腐渣样），有无异味（腥还是臭）？平日饮食有何偏好，胃口如何，饭后有无胃肠胀满？平时怕冷还是怕热，喜欢吃凉的还是热的？你胖不胖？月经规律否？量多吗？颜色如何？服用的是何种中药？

阴道炎在西医看来是外界感染，要消炎；在中医看来是内部环境湿热，利于细菌繁殖。如果湿热的环境变得清爽适宜了，细菌也就不长了。建议您可以吃些清热利湿的成药看看，比如参苓白术丸，每次1袋，一日3次，饭前服用，吃两三周观察一下。同时饮食上可常服用薏米仁和山药，各20～30克，磨成粉做粥喝，有利水渗湿的作用。山药须是药店里卖的淮山药，不是菜市场卖的生的，经常吃山药薏米粥对湿热有一定的效果。同时保持消毒和清洗患处的治疗，内外一起治病才会有转机。现在是老是在门外打苍蝇，里面还是个孵化苍蝇的安乐窝，没有根治源头。

其实，治疗阴道炎最好的方法就是足底反射疗法，省去很多麻烦，效果相当显著。只需买一本足底反射疗法的书（这种书很多），找到其中的阴道反射区、子宫反射区，还有下身淋巴区，每天按摩10分钟。如这些反射区很痛，那效果就会更加迅速，再加上外用药，就更好了。如还能找到肾、输尿管、膀胱的反射区再按一按，可能会更理想。这种方法很好学，一个小时就可以熟练掌握，而学会了却受益无穷。

Ruby 问：

乳腺增生和乳房肿块应该按摩哪些穴位呢？

中里巴人答：

乳腺增生和结块中医诊断为气滞血瘀，遣方用药的原则多是活血化瘀、舒肝理气，常用药物为逍遥丸、舒肝止痛丸等，常用穴位有胆经的肩井、阳陵泉，胃经的梁丘穴、丰隆穴，脾经的三阴交。但治疗此病，精神的舒解至关重要，否则难除病根。

bettyyang 问：

本人41岁，近一年经期前后不定，又因母亲生病、去世，心情悲伤抑郁，发生闭经。西医检查性六项，指标显示为更年期。医生开成药佳蓉片，另旅游散心，又自行来月经一次，时间、血量也还正常。但本月却只有少量血，总感觉憋，不畅快，好像中暑时的感觉，身体似乎需要排出什么，总想刮痧（我很容易中暑，家人在后背刮痧后，很快就好）。看了先生的博客，试着按摩三阴交和次髎穴，发现这两个穴位很痛，中等力度按压就有喘不上气的感觉，反复按摩几分钟后，穴位处明显发红，像出痧的样子，要过十几分钟才退去，而且明显感觉身体舒服、清爽。请问我这种情况是否为进入绝经期？可以通过经络按摩而好转吗？需要吃中药配合调整吗？

中里巴人答：

从您的症状看，我想您还没有到更年期，只要进行一些简单的自我治疗就能够将月经理顺。您可用刮痧法，但要记住，月经不通畅，刮痧的时候就要将后背的膀胱经连同臀部和腿上的膀胱经部分一路刮下来，尤其是腘窝后面的委中穴。如果出痧效果最好，但若是不爱出痧，且刮时感觉太痛，就需改为拔罐法，可在臀部到腿部的膀胱经拔罐，同样有效。按摩可选肝经的太冲穴、蠡沟穴，胆经的阳陵泉，肾经的复溜穴，这些都是通经下滞的要穴。平常注意敲打胆经，重点敲风市穴，每天再做3分钟的金鸡独立。如果您能按照以上方法去试一试，定会得到满意的效果。

10. 取嚏法——屡试不爽的千古良方

> 通常西医的感冒药是抑制身体排寒气的，减少打喷嚏和流鼻涕，强行将寒气压在体内不得抒发，长久如此会演变出很多大毛病。那怎么办呢？如果能将侵入的寒气人为地及时排出去，也许感冒症状会很轻或根本不会发生。

从小到大，感冒恐怕是我们最经常体验的疾病了。感冒在中医里又可分成风寒、风热等许多类型。风寒感冒是最常见的一类，通常我们会胡乱地吃些感冒药，有时症状很轻，觉得吃药有点多余，但不吃又还真怕加重。

风寒，就是寒气在不知不觉中侵入了身体，此时可能打个冷战了事。当身体要驱除寒气的时候，那些打喷嚏、流鼻涕等难受的感觉就出来了，虽说病不大，但把人折腾得天昏地暗，影响工作和生活的质量。通常西医的感冒药是抑制身体排寒气的，减少打喷嚏和流鼻涕，强行将寒气压在体内不得抒发，长久如此会演变出很多大毛病。那怎么办呢？如果能将侵入的寒气人为地及时排出去，也许感冒症状会很轻或根本不会发生。

其实，有一个非常简单而实用的方法，比吃任何药都管用，而且还可起到预防作用，这就是"探鼻取嚏法"，即人为地诱发打喷嚏这一排寒气的过程。

只需用平常的卫生纸纵向撕15厘米，用手搓成两个纸捻，要稍有点硬度；同时插入鼻孔，纸捻尖要贴着鼻内上壁，这样刺激性会较强。如果你已感受风寒，自然就会打喷嚏，喷嚏的多少取决于你感受风寒的程度。打了几个喷嚏后，头会略微出汗，这时风寒已去，你就可高枕无忧了。

其实取嚏法的功效还远不止这些。有些人有过敏症,如鼻敏感或花粉症之类,都是以往处理寒气不当、积压了过多的库存造成的。用取嚏法帮助排出寒气的同时,再由个人不同体质配些增强免疫力的中成小药,诸如补中益气丸或六味地黄丸等,可以完全去除病根。

另外,在中医里肺与大肠相表里,肺气不宣就会影响大肠的传导,使得大肠缺乏向下推动的力量。取嚏法可以协助肺气宣降,补充大肠向前的推动力,从而治疗便秘。更奇妙的是,中医的五脏是配以五行的,肺属金,肾属水,肺金能生肾水,难怪有些人用了这个方法后,竟不经意间治好了早泄的问题。我想,这可能是因为早泄也算是一种敏感吧,而取嚏法正好调节了脑部的敏感神经,或许鼻子本身就与生殖系统有着一些内在的联系。关于这一点还需进一步的论证。

求医录

拜友问:

我的鼻涕非常多,吃热饭或辣味的时候尤甚,我一直借口那是在排毒而没有诊治。请问,有什么办法减少鼻涕吗?!

中里巴人答:

鼻涕多,尤其是清涕,是肺气不足、体表有虚寒之气。可多做取嚏法以散体表之寒。平常吃玉屏风颗粒,或参苓白术丸,健脾祛湿,可有些效果。

11. 感冒可以自己治好

> 我曾对一个积寒很重的妇女推荐过此方，可对方却因此方简单而弃之不用，仍然跪求汤方。当时就有那个论坛的大师级人物对我指责道："中医这点不传之秘全让你抖落光了！"我回复他说"拦路奉上都无人问津，弃如瓦砾，何秘之有呀！"

朋友的儿子12岁，考上了重点初中，前几天朋友特意带着儿子来我家致谢，感谢我治愈了纠缠了他儿子多年的顽疾——感冒。

这孩子体质较差，三天两头感冒，几乎是每个月都有几天休息在家或是在医院输液，严重影响学习，朋友为此烦恼不已。这孩子特爱出汗，可出汗后只要一受风就会感冒。我让他吃玉屏风散加参苓白术丸。朋友说这两种药过去医院都开过，吃着没觉着特别管用，后来就不吃了。我说这次再用这两种药就应该管用了。我看到那个男孩正在用吸管喝饮料，就把吸管要了过来，用剪子铰成了两个15厘米长的细丝，丝头有1毫米宽，丝尾有3毫米宽。我对他说："这是叔叔送给你的两件法宝，收好了，只要感觉受了风寒，在打喷嚏或鼻子堵塞时用这两根细丝同时插进两个鼻孔中，在鼻腔内壁上轻轻滑动，马上就会喷嚏连连，等到怎么滑动细丝也不会打喷嚏时，皮肤表面的风寒就被全部赶走了，这时额头就会微微出汗，而这次的感冒也就与你擦肩而过了。"按照我的嘱咐，男孩把这"宝物"放到纸盒中，经常拿出来打打喷嚏，再同时吃玉屏风散和参苓白术丸。从那以后，他就再也没感冒过。

这个方法我曾写文章介绍过，但可以肯定的是，多数人并不会真正在意，看过也就看过了。在网上的中医论坛中，我曾对一个积寒很重的妇女推荐过此方，可对方却因此方简单而弃之不用，仍然跪求汤方。当时就有那个论坛的大师级人物对我指责道："中医这点不传之秘全让你抖落光了！"我回复他说："拦路奉上都无人问津，弃如瓦砾，何秘之有呀！"

夏天到了，电扇、空调就会天天伴随着我们，感冒也就时时会威胁我们的健康。这小小的细丝或许就是大家防病的屏障呢！（注意：细丝要软而细，切忌粗而硬，10岁以下儿童鼻粘膜过于薄弱，不推荐此法。）

我们通常会认为复杂的东西才有效，难学的道理才高明，费用高的疗法才值得信赖。岂不知"要言不繁，大道至简"！

▓▓ 求医录 ▓▓

sweet_windy 问：

我女儿发烧，38.5度，扁桃体发炎。吃了消炎药没多大效果。然后，我给她按摩合谷、大椎、风池、曲池、尺泽、肺俞、脾俞、天突，还有就是捏脊和耳垂下部的扁桃腺放射区。今早她说有痰咳不出来，有点疲倦，早上打了几个喷嚏还流清鼻涕。像这种情况，我该怎么做好呢？她这是外感风寒感冒吗？还有，这种肝胆浊气冲击肠胃的现象能通过按摩或者吃中药解决吗？

中里巴人 答：

肝胆气冲击肠胃可用中成药来解决，但要看时机用药：已经冲到小肠位置时，可吃加味保和丸；刚从两胁入胃时，可吃舒肝止痛丸；还在肝胆郁结时，可吃逍遥丸。还可通过按摩太冲、阳陵泉、支沟、足三里等来调节。小儿如何治疗，本人经验不足，但感觉成人的这套穴位效果不是太好。有痰吐不出来，通常点按后背肺俞穴，加上胃经的丰隆穴。她的情况应该是风寒感冒。

12. 减肥为何总是半途而废

> 我一直不提倡吃减肥药减肥，而许多人因此而身体大伤。但爱美之心高于一切，也就只好迁就于此，为其提供补救之法。像长期熬夜之人、长期饮酒之人，皆是可治其病而难改其性。但作为医生，只医其生而已，何必担命运之忧呢？

有个邻居，女，38岁，体形较胖，身高1.67米，体重80公斤。肚子上赘肉较多，屡次减肥，都是头几天有效，大便泻不少，然后就停滞下来，大便也少了，并出现头晕、乏力、后背疼痛等诸多症状。这次感觉一种新的减肥药还不错，肚子不像往日那样绞痛，泻便也很平和。只是好景不长，不到一周，上述的症状又出现了，肚子虽然整日咕咕作响，就是排不出多少大便，且有肛门下坠的感觉，左侧面部还时时觉得有些麻木，体重又恢复到减肥前。一个疗程的药吃了不到1/3，眼看又要半途而废了。

我为她号脉，她的心脉很弱，而减肥过程是在成倍地加强代谢功能，需要耗费大量气血才能完成。如果心脏没有力量，气血供应不足，是无法继续进行的。于是为其点按给心脏供血的相关穴位，并嘱其每日加服八珍汤以增强气血。就这样她减肥得以顺利进行，不到一个月已减了15斤，且身体无任何不适。

我一直不提倡吃减肥药减肥，而许多人因此而身体大伤。但爱美之心高于一切，也就只好迁就于此，为其提供补救之法。像长期熬夜之人、长期饮酒之人，皆是可治其病而难改其性。但作为医生，只医其生而已，何必担命运之忧呢？

求医录

Phoenix 问：

　　我目前苦于产后肥胖（生产完将近4个月，体重比产前增加10公斤）。执行吴老师书中的一招三式近两个月，但身材并没有显著的变化，腰部、臀部和腿部水肿仍然相当严重。

　　请帮助我摆脱肥胖，谢谢！

中里巴人答：

　　如果是腰部、臀部、腿部水肿明显，显然是膀胱经阻塞造成的。造成阻塞的原因，从中医学上讲是脾肾两虚。如果同时有尿少、怕冷、腰酸的症状，可选择中成药桂附地黄丸。如果会刮痧，则将后背整个膀胱经由脖子到臀部一直刮下来。还可选择食疗法，取淮山药、薏仁米等量打成细粉熬粥，有健脾利水的功效，每天一小碗即可。平日还可吃些冬瓜、萝卜，有利水通气的作用。如不爱喝水，则尽量少喝，免得增加肾脏负担使水肿加重。若懂得穴位，可选用膝盖内下方的阴陵泉，足内踝上的三阴交、复溜穴，都有很好的利水消肿功效。

Lorena 问：

　　我的儿子因为读书学习，每天熬夜至凌晨两三点钟。我让他敲胆经早睡养血。按他的身体各处经络，发现好像充满了气，不是普通的肌肉或肥肉，也不是水肿。他脸上生了一些暗疮，爱出汗，体重也偏重，想既养身又减肥，请教先生应该怎么按摩？身体中的气应该怎样排出去？

中里巴人答：

　　减胖和养身其实并不矛盾，因为正确的减肥理念是添加气血能量，排除体内垃圾。人体内的浊气正是首先要清除的垃圾。浊气不除，它就会污染血液，这也是形成暗疮的原因。排除浊气最快捷的方法就是打嗝、放屁，每天按摩腹部的中脘穴、天枢穴，同时用十指指肚推腹部由心窝至肚脐附近，也很有疗效。胃经的足三里是治气要穴，可多点按。丰隆穴可化痰理气，对治疗暗疮也有良效。爱吃肉的话，可常吃牛羊肉和柴鸡肉，增加气血较快，但在吃完肉后最好吃两粒大山楂丸，既可防止增加血脂，又能加快增长气血。如果是肝火旺的体质，则可适当饮些绿茶，可使浊气从尿道而出。如果想进行肢体的运动，徒步行走则是减肥的最佳选择。另外，敲胆经、练金鸡独立都对减肥和排出浊气有很大帮助。

13. 减肥应该是一次轻松愉快的旅行

泻药的作用通常是通便、利尿、活血，用这些泻药的时候最好同时服用一些补气血的药，如十全大补丸、补中益气丸等。这样，泻的力量成倍增加，而且丝毫不伤脾胃。如此便可以加快体内赘肉的排出速度，且有泻有补，泻的是废物，补的是气血，一出一进，从此走上良性循环。

很多朋友只因为自己身材稍胖，便终日饱受精神的折磨，心理异常地自卑，在人群中不是尽量保持沉默便是经常自我嘲弄一番。仅仅是因为身材便影响了我们一生的幸福，从婚姻、家庭、事业、朋友到整个命运，因为肥胖而丧失了本应有的欢乐、幸福、机遇和成功，这真是让人扼腕叹息的事。这里，我要帮助肥胖的朋友们用一种全新的方法和理念摆脱这无形枷锁，找回自信，找回美丽，找回本应属于我们的一切。

人为什么会肥胖呢？原因很多，有遗传因素、习惯因素、体质因素，还有饮食结构、身心疾患等因素。简而言之，它们有一个共同的原因，那就是脾对食物的消化吸收能力"太差"。

有人会以为我写错字了，说应该改为"太强"。不，绝对不能改！就是因为大家一直认定——肥胖是由于我们的吸收能力太强，在身体里造成了能量过剩——这个虚假的"事实"，我们的减肥目标才一再无法实现，因为那是个南辕北辙的计划。

有人说，我胃口好极了，什么都能吃掉，吃多少都不饱，这能说我是脾胃虚弱吗？中医里有个专有名词叫"胃强脾弱"，其含义显而易见，就是能吃而不能消化。胃是受纳器官，脾是运化器官。运化包含"运"和"化"两层含义，"化"是将胃肠中的饮食化成营养精微物质，

"运"是把这些营养精微运输到全身各处，成为人体的气血。有时我们虽然吃了很多东西，但脾"化"的能力太弱，无力将食物转化成营养精微。这就像是一家工厂，虽然买进了大批原料，但是工厂的机器设备太差，加工出来的东西不是半成品就是残次品，根本无法正常使用。你以为你身上的那些赘肉是营养过剩吗？不是，它们就是一堆运不出去的废品，当你身体需要能量时，它们不是储备，它们不会转化成气血来供你使用；反之，它们却阻碍你生成新的气血，就像工厂的成品仓库本是用来储备成品的，现在却堆满了半成品、残次品。这些半成品、残次品不会变成工厂的有效资金，却长年占据着成品库，使成品无法储存，无法实现价值。身体也是一样，赘肉占据了正常肌肉的位置，痰浊瘀血占据了新鲜气血的空间，使人体的气血能量无法生成。所以，减肥的过程就是"去粗取精，去伪存真"——瘀血去而新血生的过程。

过去的治疗方法都是围绕能量平衡概念进行的，认为减少能量（食物）的摄入，然后再尽量往出排泄，增加能量的支出，以达到进少出多的目的，认为能量达到负平衡就自然会减肥。从表面上看来，这似乎很合理，却忽视了一个关键问题，那就是堆在体内的废物（赘肉）是不会自行分解并排出的，而是需要很多的气血、很大的能量，才能将它分解成可以被血液带走的碎末或液体。这就好比工厂要花费很大的财力、人力、物力来把那些残次品和半成品回收、分类、分解，该扔的扔，该再利用的再利用，这才能把仓库腾出来，迎接新的优质产品。这个过程若没有大量的资金（能量）支持，根本无法完成。

这种能量从何而来？只能从食物中获得，若你此时却节食，吃一点东西仅够人体一天基本代谢的能量，那什么时候你才能够攒够充足的能量来将体内废物运走呢？有些人说，我饿了一段时间还真瘦了，体重下来了，只是身上的肉更松弛了，皮肤也起皱老化了，体力好像也不如以前了。这是因为你分解了身体内本来就少的一点气血储备，把正常的肌肉分解掉，来供应脏腑及其他人体重要器官日常必需的能量，而并没有把体内真正的废物排出去。这样的结果是就会很快反弹，而且比原来会更胖。

肌肉竟如此重要吗？当然。肌肉是人体气血储存、分配、调度的能量仓库。你若不断地用饥饿法来减肥，那这个仓库都被你拆了去维持脏腑的气血需求了，将来哪里还有足够维持健康的气血储备空间呢？这个空间越小，将来人的气血资金储备能力就越低，减肥过后的反弹是注定的结果。所以，若想持久保持身材和健康，那就请珍惜你的气血储存调度的资源仓库——肌肉吧！

还有一种更为严重的情况，那就是由于有些减肥药的作用，使人体代谢异常加快，身体很快消瘦。这就好比为了把库存的积压货处理掉，竟然把工厂也一同廉价卖掉了。如此，常常会造成甲状腺机能紊乱和心肌的实质性损害，甚至会引起肾功能衰竭。还有一种神经性厌食，对人体的损害也是致命和长久的。好在只要明白了只有增加进食才能有效减肥的道理，这种心理问题通常会不治自愈。

我们已经知道了引起肥胖的机理，那么该怎么来实施我们的减肥计划呢？我想告诉大家的是：这一历程将是一次轻松愉快的。

首先，我们要选择那些既能快速增加气血又不会产生赘肉的食品，也就是健脾养血的食品。具体有哪些呢？山药、薏米、芡实，这3位乃健脾养血的主将，不可小视。还有牛肉、羊肉、大虾、海鱼、蛋类都可尽情享用。如果你属于见肉没够的那种人，也不必太过刻意限制，因为你的身体急需肉里的营养来补充气血，此时只要饭后服一两粒成药大山楂丸便可把肉食迅速消化，变成对身体有益的气血，而无生赘肉之忧了。当气血补充足了，这种嗜好肉的现象也会随之消失。蔬菜、水果更无禁忌，豆类、坚果当随心所欲。萝卜排气，冬瓜利水，大枣养血通便，皆为减肥佳品。不要吃米、面类的主食，少吃猪肉、肥鸭、肉鸡、河鱼，禁食、糖果、糕饼、冰镇寒凉食品。有些食品则因人而异，如牛奶不适宜腹胀的人、螃蟹不利于胃寒的人等等。

在感觉饥饿和无力的时候不要用糖来解决问题，因为身体此时需要的是气血，而不是糖。一般主食也是糖类的代名词，要加以小心。此时吃些补气血的桂圆、红枣、水果、牛肉、坚果等，比吃粮食对身体好得多！

照此方法减肥，轻松愉快，百无禁忌，身体的气血会日渐增多，体内的能量会迅速增长。在减肥初期，你的体重不会减轻很多，通常还会略有上升。看着体重秤上升的指针，你也不必沮丧，因为那是肌肉密度的增高，是气血的重量。而外人看你却显得瘦了，这时你的感觉是身上的肉结实了、气力增强了，应该恭喜自己了。

接下来，我们可以任其自然。随着能量积累到一定程度，它会自行冲击体内的赘肉。此时，你可以配合身体的行动，推按小腿脾经，这时脾经的穴位会异常敏感。但大家往往没那么多的耐心，要马上看到效果，那就只好先选一些适合自己的泻药。泻药的作用通常是通便、利尿、活血，用这些泻药的时候最好同时服用一些补气血的药，如十全大补丸、补中益气丸等。这样，泻的力量成倍增加，而且丝毫不伤脾胃。如此便可以加快体内赘肉的排出速度，且有泻有补，泻的是废物，补的是气血，一出一进，从此走上良性循环。

减肥的过程对肥胖的朋友来说，就好像是蚕蛹的破茧而出，是一次推陈出新、脱胎换骨的经历。在此预祝大家减肥成功，更期盼大家从此轻装走上快乐的人生旅途！

■ 读者文摘

　　这篇文章其实在讲一个帮助人气血回升的饮食方法，不仅减肥用得上，脾胃虚弱造成的面黄肌瘦一样可以以此指导来调理脾胃。

（真好）

　　我就是个瘦子，吃啥都不长肉。这次我知道该怎么去养脾胃了。气血一旺，瘦能胖，胖亦能瘦。所以这篇文章也同样是给瘦子们的礼物。

（玫瑰草）

　　我坚持早睡早起，并配合做敲胆经，按摩心包经，做金鸡独立，做推腹，有空就泡脚。3个月下来气色好了，人也精神了，在没有节食的前提下瘦了5斤！而且主要是瘦在腰臀部，是不是很让人羡慕呢？

（YIREN3）

14. 心病可用穴道医

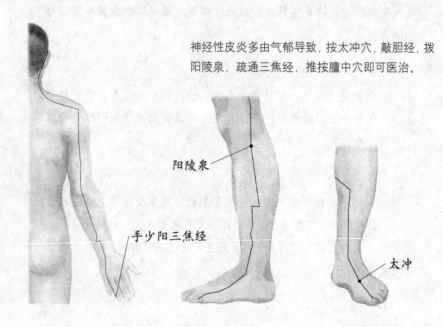

神经性皮炎多由气郁导致，按太冲穴，敲胆经，拨阳陵泉，疏通三焦经，推按膻中穴即可医治。

阳陵泉

手少阳三焦经

太冲

这病症虽在皮肤，但起于肝气不舒，肝毒难解。肝是体内最大的解毒工厂，把食物之毒、血液之毒、浊气之毒纷纷化解，将大块的"毒"化成碎末，通过肾、输尿管、膀胱变成尿液排出。但如果肝因生气而功能减弱（怒伤肝），毒素不能被很好地分解成碎末，而把大块的"毒"直接由肾往外排，这样最易形成结石，肾排不出去，又进入血液进行再循环，于是血液被污染了，血液里的毒素急剧增加。

某个周末的晚上，一个做生意的朋友打来电话，说第二天要带他一个香港客户的太太来找我看神经性皮炎，中医叫"牛皮癣"。我说这病我看不了，可他说已答应了人家，且这事儿关乎他一大笔生意的成败，请我务必帮忙。第二天一大早，他就把我堵在家里，没办法，只好硬着头皮给看了。外科不治癣，真是不假。这病起因复杂，诱因又多，极难除根。每逢顽症，我总是知难而退，从不勉力而为。摸了脉，寸脉沉弱，关脉弦旺，肾脉浮大。问其二便正常，食欲旺盛，除满身皮疹外，别无不适。已先后去欧洲、美国、加拿大治疗过很长时间，毫无效果。

又是一个气郁之人！我对患者说："大姐，您身体没什么问题，就是心里有很大的委屈说不出来，哭一场就好了。"我这话音未落，这位太太便泪如雨下，向我哭诉他先生几年前在内地包了个"二奶"，现在虽改邪归正，可她心里的疙瘩还是解不开，难以真正原谅老公，又无人可以诉说。我并不劝解，而是时时点点她的痛处，引得她越加地伤心。她断断续续大概哭了一个小时，渐渐平息下来。我再看她的脉象，肝脉已平和了许多，心肺脉也变得有力了。她说哭得身上都出汗了。我帮她按摩了一下太冲穴，痛得厉害，又敲敲她的胆经，大腿外侧痛不可碰。我为其拨动阳陵泉，以引浊气入肠道，然后又为她疏通了一下三焦经，推按了几下膻中穴，她即时就打了几个大嗝，放了几个响屁。她很不好意思，连声说"对不起"。我说："大鸣大放，上下通畅，您的病这下有出路了！"

这病症虽在皮肤，但起于肝气不舒，肝毒难解。肝是体内最大的解毒工厂，把食物之毒、血液之毒、浊气之毒纷纷化解，将大块的"毒"化成碎末，通过肾、输尿管、膀胱变成尿液排出。但如果肝因生气而功能减弱（怒伤肝），毒素不能被很好地分解成碎末，而把大块的"毒"直接由肾往外排，这样最易形成结石，肾排不出去，又进入血液进行再循环，于是血液被污染了，血液里的毒素急剧增加。然而机体有自我保护的功能，为了不伤害身体更重要的内脏器官，只好将毒素暂借皮肤毛孔排出了。其实毛孔的确也是排毒通道，但只有8%的排毒能力，却要承担80%的毒素流量，小水库当起了泄洪闸，而且是永久的，所以皮肤老是被"淹"、被冲垮，内毒以"牛皮癣"的方式向外宣泄，皮肤做了脏腑的替罪羊，做了忍辱负重、舍己为公的无名英雄。其实，我们真得感谢这"牛皮癣"。若毒素不从皮肤出，或许就要在体内长肿物引起痛风或损伤其他脏器，直接伤害肝脏，这样弄个肝硬化不是更可怕吗？瑞典有个自然疗法专家来京向我讨教中医时说，他用按摩肾、输尿管、膀胱反射区的方法曾大大减轻了好几个神经性皮炎患者的症状，在业界引起了不小的轰动。我说："你的思路很好，让毒素从它该出的地方出是最佳途径。"

我嘱咐这位太太回家后接着按摩、敲打我操作过的经络穴位。我还送她一把梅花针，对她说："夜里若皮痒难眠时，就用这个针敲打，微微出血，马上止痒。"她高兴地说："总是夜里12点到两三点痒得要命，整宿都睡不好觉。"她问我，她有一个亲戚也是这病，用这个敲行吗？我连连摇头说不行。因为通过刚才的治疗，她的肝解毒的功能已经修复，通道已经打开，毒素会循正常的路径而走，夜里再出现皮痒也只是些残留的余毒，用梅花针一敲，毒随血出而散。而如果肝脏解毒的功能没有恢复的，毒素只能挤在皮肤毛孔这一条小路而出，你再一敲，病走熟路，反而引毒从皮肤往外排了。虽说外治排毒也是一法，但需放血拔罐，同时再服汤药往外"托毒"，工程就大了，自己不好操作。所以不建议直接用梅花针来敲打患处。

我对她反复强调，要想除病根，不可再对往事耿耿于怀，否则终将前功尽弃。她说："我尽量努力吧！可是有时念头一来，就是挥之不去，就是想不通，怎么办呀？"

真是没有办法，她总想从破损中找回完美，割下新肉来弥补旧伤。我最不会安慰别人，因为我心里常想：让假殷勤和假慈悲见鬼去吧！她真正需要的是心灵的力量，我给不了她，但我也不想用软绵绵的话来削弱她的意志。

两周后她打来了电话，说她的病已经痊愈，心情也好多了，正在读《金刚经》，最喜欢里面的一句话："应无所住而生其心。"

读者文摘

如果说自己因早年的小病不断成长至今日的淡定从容，不能不说受到先生太多的感染，所以心中对先生一直有着一种难以言表的感激和尊崇。自先生开博客以来，每来必有收获和感动。收获的是先生的妙方，感动的是先生的境界。先生的文章或沁人心脾、随意自然，给人信手拈来之感；或心无旁骛、举重若轻，颇有四两拨千斤之力。最近有些心病，与先生沟通成为我每日的习惯，如果没有先生的宽慰，我不知道自己会不会如本文中的这位太太一样毒无发处，走入偏门。而对我的喋喋不休，先生没有抱怨，每次都用无私的胸怀和宝贵的时间予我支持与鼓励，我因此也对先生更多了几分敬意和谢意。周末的子夜，读先生的这篇"心病的治疗"，突然想借题发挥一下，用我在美国学到的 3 句话说说如何去除心病，既是对先生禅学思想的发挥，也算送给有心病的朋友们的圣诞礼物吧。

第一，be yourself（做真实的自己）；

第二，just do it（做就做好）；

第三，enjoy everyday（快乐每一天）。

以上 3 句话说着简单，做起来却不易。想起先生几年前曾经说过一句话："对于有些病而言，有时候吃药还不如读一本金庸的小说有效。"这里的"有些病"，指的就是心病。

(Helen)

15. 脂肪肝的根源是脾胃不好，气血不足

从中医角度看，脂肪肝的出现的根源还是脾胃不好、气血不足，无法良好运化食物，使得垃圾处理困难，堆积在肝脏里，从而影响肝的供血和其他功能。

这是我的一个朋友的亲身经历：他一年多前被查出有脂肪肝，当时觉得很委屈，觉得减肥时吃得很"穷"，还得这个病，不是被愚弄嘛！不过有了问题就要解决，于是就开始漫长的学习。为了解决脂肪肝，他考了营养师，学了运动专业的课程，最后在研究中医的过程中我们成了朋友。可以说，因为脂肪肝他学到了养生的知识，也治好了他的病。下面是他的一些经验：

脂肪肝是营养不良造成的。这里的"良"说的是食品的质和数量是否均衡。常见原因有：

有的是长期大量饮酒，伤害了肝功能的酒精性脂肪肝。

有的是营养不良，热卡过剩，身体肥胖，缺乏运动；或不肥胖，但消化不好，饮食结构不好，吃得不均衡，多数是垃圾食品成日吃，或不重视蔬菜、水果和其他营养的均衡，整天大鱼大肉、粮食玩命吃，忽略了均衡，影响了肝脏内的正常代谢。

另一类则是因为经济或本身原因，吃的很"贫苦"！饮食中长期缺乏蛋白质，是没钱或是自虐，克扣生长必需的原料，使得维持肝脏正常工作的维生素、蛋白质等原料不够，无法正常维持肝内脂肪等能量的代谢，造成脂肪积压。最典型的就是某些没营养知识的素食者或纯为漂亮不知道营养的减肥人群。

还有一类就是身体虚弱、久病，吃不下东西，营养不足；或吃得

下却无法吸收。

脂肪肝分轻、中、重度，程度越严重将来越容易演变成肝硬化。脂肪肝其实是现在代谢性疾病（冠心病、高血压、糖尿病等）的警钟，是这些疾病的幼苗，如果不及时控制而进一步加重，不但破坏肝功能，导致肝硬化，更增加了患那些"文明病"的几率。

得了脂肪肝，也不用太紧张，只要稍微调整一下饮食和生活，就会大有改观；无非就是把营养均衡一下，不需要太大毅力也能把身体弄好。特别注意的是，脂肪肝患者切忌快速减肥，切忌在短时间内快速降低体重，尤其是中度以上的患者。因为快速减肥意味着脱水，意味着能量严重缺乏，这样会适得其反，会加速肝脏功能的破坏。这些患者不要用减肥来消灭脂肪肝，而是该均衡饮食，适度活动，提升身体的气血，不要去管体重有多少。随着身体状况好转，营养均衡，体重会有所减轻的。

脂肪肝饮食指南：高蛋白、低糖（包括主食）、高纤维（多蔬菜、水果）。按以下比例吃，保证营养均衡，还美味无穷（经验证明，按这个吃个半年，身体状况一定大变）。那就是1份粮食；3～4份优质蛋白（肉、豆腐、蛋）；6份蔬菜和水果；常喝奶类（不用管是否低脂），每天250～500毫升；零食吃坚果，如美国杏仁、核桃和松子、瓜子。

另外，可适当参加类似快走（每天走6000～7000步，1小时内）、游泳、自行车等有氧运动。当然，这个阶段要少饮，或最好不饮酒。如此有个半年一年，脂肪肝就会减轻或消失。只要长期坚持均衡饮食，也许肥胖的脂肪肝患者体重不一定下降，因为正确的饮食和生活提高了身体的代谢能力（气血），即使不减肥，脂肪肝也可以渐渐地消失。所以不用把治疗脂肪肝看作一个艰苦的过程。

可以看出，脂肪肝的治疗不是叫人少吃肉，而是把优质的肉类当做药物来吃。中医认为适当吃肉是培补气血的良好手段，肉类以牛肉、羊肉、鱼、虾、家禽最好，吃肉的同时吃些大山楂丸更好。控制粮食和甜食是饮食调整的关键。西医认为吃太多主食会扰乱激素水平，影响脂肪的正常代谢；在中医看来，脾胃不好的人大量吃主食无异是雪上加霜，不但吸收不了，还会加重病情。所以在饮食调整的前两三周尽量减少主食，增加优质蛋白食品，有利于气血的恢复。两三周后可以适当吃些粗粮、杂粮，少吃精米、精面和白面包。饮食方面细节太多，这里就不一一叙述了。

其实，从中医角度看，脂肪肝出现的根源还是脾胃不好、气血不足，无法良好运化食物，使得垃圾处理困难，堆积在肝脏里，从而影响肝的供血和其他功能。除了影响肝以外，脾胃不好还影响到五脏六腑，造成很多不舒服的症状。

有胸闷心悸气喘而无实质性心脏病的脂肪肝患者，平日可吃些补益气血的小成药，类似参苓白术（脾肺气虚，容易乏力气喘的）；感觉肋间憋气、胸肋骨胀满、容易着急发火或抑郁的人，多数为肝脾不和或肝气郁结，可以吃些逍遥丸（舒肝健脾），同时还可以按摩阳陵泉、太冲穴，以舒肝理气，并放松心情，少生气；此外，经常按摩胃经的丰隆穴可以调理脾胃，降低血脂；容易心悸头晕、全身无力、但又不是有饿感的人，可以服些人参生脉饮、柏子养心丸（容易心悸失眠、饿但无全身乏力的）；如果是觉得喘气费劲，气憋在胸中、胃堵，就像不主动呼吸就上不来气的，可以吃些补中益气丸……所有药物都是以补正气、化瘀滞为目的。

首要的还是要靠饮食和生活的改变，药物的作用是第二位的。只需要小小的改变，带给你的则不会只是解决小小的脂肪肝，而是整体的健康改变。

16. 癌症——我们体内家庭里的不良孩子

癌症不会被消灭，就像我们不会因为孩子精神错乱就杀死他一样，其实只要我们能够倾听他内心的烦恼、宣发他心中的积怨，那么他仍然可以重新成为一个友善的、与我们亲近的孩子。研究已经证明许多癌细胞在特定的环境当中（如不同的温度下）可以转变成正常的细胞。

近40年来，现代医学对癌症研究的最大收获是发现了癌基因。起初科学家们欣喜若狂，以为找到了根治癌症的钥匙；可当打开这神秘的匣子一看，里面还有两个匣子，再分别打开，发现里面还有更多的匣子。没想到，癌基因是如此众多，最后得出了一个惊人的结论：凡在癌病毒上发现的癌基因，在正常的细胞中都存在。

既然我们每个人身上都有着无数的癌基因，那么可以说，癌是与生俱来的，而且是正常细胞转化而成的，防止这种细胞转化应该就成了预防和治疗癌症的核心。但令人遗憾的是，我们似乎无法发觉这种悄然无声的转化，只有它们已经变成彻头彻尾的癌细胞时我们才能发现，可那通常为时已晚。就像家里一向乖巧的孩子突然拿起了菜刀，变成了疯子，砍向自己的父母，而我们猝不及防，只有束手待毙。

于是我们不断地去寻找——是谁让我们的孩子变成了残暴凶狠的顽劣少年？终于我们找到了致癌物：亚硝酸胺、苯并芘、氨基酸加热物、黄曲霉素、尼古丁等等。我们禁止孩子和他们交往，免受不良影响，却发现它们就像空气中的尘埃，无处不在，让我们防不胜防。我们喜爱的烧烤、熏鱼、腌制品以及鲜美的调味品、色素、食品添加剂，还有各种蔬菜中的农药残渣、各种非天然饲料喂养的禽畜、汽车的尾气、被污染的水源等等，哪个不是毒害我们的元凶？

当我们看到将家里的问题少年与外界隔绝并不能挽救他的堕落，只好求助于他的哥哥姐姐们（淋巴细胞、巨噬细胞）要随时盯住他，并鼓励他们去教训这个家中的逆子（免疫疗法）。可心慈手软的哥哥姐姐却不愿意用自己手中的权力去管教亲如手足的弟弟，宁可让他去肆意胡为；有时迫于父母的重压，最多也只是不痛不痒地给他一巴掌，或者假装喝斥一下。可丧失理智的问题少年却六亲不认，一阵拳打脚踢，到头来也就没人管得了他了。最后，我们只好找来又锋利又笨重的大砍刀（手术和放疗、化疗），在狭小的屋里气急败坏地挥舞着，与这个家中的叛逆拼个你死我活。这家伙强壮而灵活，总能扛住或躲开我们的追打；倒是其他的孩子由于无处躲避，个个被打成重伤，屋里的家俱门窗也都被捣得稀烂。当我们气喘吁吁、筋疲力竭的时候，却发现这个家中的小霸王仍然站在我们的面前，对着我们傻笑。到此为止，我们知道，等待我们的结局必定是家破人亡，这"可怜"的疯孩子也将一同饿死。

难道我们就注定无法摆脱"癌症"这个噩梦的诅咒吗？

当然不是。我们现代医学对癌症病因的研究理念残缺不全，甚至是徒劳无功的。所有的研究都是针对生理的功能，而人却是灵与肉的结合，如果不同时将心理的因素吸纳进去，那么一切研究的成果永远将只适用于动物或者是死人。

癌症不会被消灭，就像我们不会因为孩子精神错乱就杀死他一样，其实只要我们能够倾听他内心的烦恼、宣发他心中的积怨，那么他仍然可以重新成为一个友善的、与我们亲近的孩子。研究已经证明许多癌细胞在特定的环境当中（如不同的温度下）可以转变成正常的细胞。

是一个心灵的恶魔在控制着癌症这个无辜的孩子，使他就像是一个强迫症患者那样，在某种特定的场合注定发病。但是，没有关系，我们已经看清了这恶魔的嘴脸，那不过就是一团黑影，他最怕我们手里的强光。

■ 读者文摘

　　救灾解难，不如防之为易。疗疾治病，不如避之为吉。今人见左，不务防之而务救之，不务避之而务药之。譬之有君者，不思励治以求安；有身者，不惜保养以全寿。是以圣人求福于未兆，绝祸于未萌。盖灾生于稍稍，病起于微微。人以小善为无益而不为，以小恶为无损而不改。孰知小善不起，灾难立成，小恶不止，大祸立至。故太上特指心病要目百行，以为病者之鉴。人能静坐持照察病有无，心病心医，治以心药。奚伺卢扁，以廖厥疾，无使病积于中。倾溃莫遏，萧墙祸起，恐非金石草木可攻。所为长年，因为病故，智者勉焉。

　　为什么我们还不能够找到治癌症的药？或许癌症是所有人类压抑疾病的表达。直到目前，我们已知道如何压抑单一的疾病，但癌症并非一个单一的疾病，这是一种非常集合性的攻击，它是一个全然的攻击——所有的疾病都结合在一起，手牵着手，它们已经形成了一个军队，在攻击你。这就是为什么医药会失败之由。现在似乎不可能找到任何对癌症有效的药。

　　癌症是一种新的病，它并不存在于原始社会。为什么呢？因为原始部落的人不会压抑，不需要压抑。它是来自你的系统的一种反叛，如果你不压抑，那么就不需要任何反叛，一些小事会发生，然后消失。

（一堂）

　　找到解决已经变坏的孩子的方法可不容易，唯有在孩子未变坏之前，发现苗头立即纠正，引导他往正确的方向发展。"上工治未病"，想不到在郑老师这里除了学到医术，也可以学习教育孩子的方法。爱孩子，不能害了孩子，受教了！

（王一力）

我是刚接触中医的，是因为胃病久治不愈。经过一段时间严格按医生的要求调理，不仅治好了折磨了我很久的胃部不适，而且使我的身心发生了极大的变化。以前面色萎黄，觉得很累，做什么事都是靠一点精神支撑着；现在面色红润，遇到长时间没见的朋友，他们都很吃惊，觉得我变了很多。我要用自己的经验告诉各位姐妹：

1.不要盲目相信护肤品，内在健康才是最好的护肤品。我因为肠胃不好，嘴巴周围和下巴长满小痘痘，平时看不出但摸得到，说话、吃东西就会发红，看皮肤科用激素不能根治。吃中药期间，我惊奇地发现这些小痘痘慢慢消失了，皮肤变得很光滑。现在我放弃了所有昂贵的护肤品，只做最简单的洁肤和润肤的工作。

2.从饮水开始改善体质。我已经完全改变了饮水习惯，从喝很多碳酸饮料到只喝清水和茶，偶尔喝点果汁，还买了频谱饮水机。坚持到现在，我已戒掉了喝可乐的瘾。

3.几位老师都说过，身体出现疾病不是一朝一夕的事，所以要完全摆脱疾病的控制，也不是吃一两次药就能好的，贵在坚持。

4.心情开朗很重要，摆脱外在的虚荣，不要在意别人的看法。以前的我总是希望比别人走得快，很急，效率很高（表面上），然而现在的我希望走得更远，包容别人，放慢脚步以便能欣赏沿途的风景。这样做了，反而觉得自己更优秀，很多好事不经意地就会发生在自己身上。我认为这是自身修炼的成果。

（Mico）

我不怀好意地想，几个病毒、几个细菌、几个坏细胞真的那么法力无边，真的可以让我们毫无还手之力，只能坐以待毙吗？难道我们真的不能和他们和谐相处，构筑一个协调平衡的人体社会吗？难道我们真的和他们是势不两立吗？

为什么，病毒、细菌、癌细胞不是在我们一来到这个世界的时候就发作，就呈现出无论多少抗生素都不能消灭的强劲势头呢？为什么我们可以和他们和谐相处了几十年，后来却势同水火了呢？郑老师把癌症比作一个可怜的孩子，让我想起这样一个故事：

一位母亲对儿子百般疼爱，娇生惯养。在母亲的庇护下，孩子最初的不良习惯发展为不良习气，再从恶习发展到恶行乃至犯罪。在临刑之时，儿子对母亲提出了最后一个要求："再吃妈妈一口奶。"就在母亲再一次献出"爱心"之际，儿子却残忍地咬掉了母亲的乳头，表达了对母亲"养不教"的愤恨。

无从考证这个故事的真假，我只是想说当癌细胞这个可怜的"儿子"咬"母亲"的时候，作为"母亲"的我们应该反思什么呢？

我们一味要求医生给我们提供可以一招制敌的降龙十八掌，却从来不想是谁把"孩子"培养成强大的"敌人"的！呜呼！

现代医学一直很用力地研究疾病，这也养成了我们一直以来把健康交给医生的惰性思维。而当医院收留我们的时候呢，医生通常会告诉你：没治了。

我不怀好意地猜测：现代医学的研究方向真的错了？其实，现代医学真的不应该一直很用力地研究疾病的。现代医学应该好好研究研究健康，研究如何让人们不生病，而不是作为消防队，一味提高自己的消防装备。

你到底是关注疾病，还是关注健康？

(翻书等缘)

17. 腰痛都去找膀胱经治

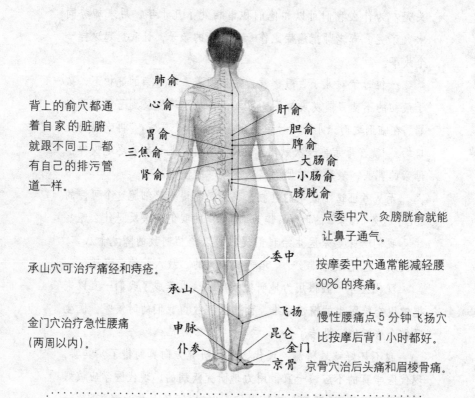

背上的俞穴都通着自家的脏腑，就跟不同工厂都有自己的排污管道一样。

肺俞
心俞
胃俞
三焦俞
肾俞

肝俞
胆俞
脾俞
大肠俞
小肠俞
膀胱俞

点委中穴，灸膀胱俞就能让鼻子通气。

承山穴可治疗痛经和痔疮。

委中

按摩委中穴通常能减轻腰30%的疼痛。

金门穴治疗急性腰痛（两周以内）。

承山

飞扬
申脉
仆参
昆仑
金门
京骨

慢性腰痛点5分钟飞扬穴比按摩后背1小时都好。

京骨穴治后头痛和眉棱骨痛。

> 经常在外面做保健的人可能比较熟悉，按摩师给你拔罐、按摩选择最多的部位就是后背——在后背拔满了罐，或者在后背按摩、刮痧、捏脊、踩背。为什么都愿意选择后背进行治疗呢？因为后背是膀胱经主要循行的部位，治疗的范围极其广泛，可以说身体内任何疾病都和膀胱经有着直接或间接的关系。它就像你家的污水管道，如果不通，整个日常生活都会被破坏。

我认为选取膀胱经治疗腰痛疗效最为确切。

大家学习经络，或者说是学习中医，如果按西医逻辑思维模式来深入，常常事倍功半，徒增迷惑。我们不是说逻辑思维本身有什么问题，而是因为中医很多东西不是按照三段论原理来进行的，它往往更贴近于模糊哲学的意味，就像是恋爱中的情人，说不清到底爱对方什么，只是爱。所以，我在下面讲的许多概念，若仔细分析起来似乎有很大的疏漏，甚至不合逻辑，但站在让你尽快了解中医的角度来说，却大有裨益。

膀胱经是人体最大的排毒通道，如果经常在外面做保健的人可能比较熟悉，按摩师给你拔罐、按摩选择最多的部位就是后背——在后背拔满了罐，或者在后背按摩、刮痧、捏脊、踩背。为什么都愿意选择后背进行治疗呢？因为后背是膀胱经主要循行的部位，治疗的范围极其广泛，可以说身体内任何疾病都和膀胱经有着直接或间接的关系。它就像你家的污水管道，如果不通，整个日常生活都会被破坏。

膀胱经在后背上有许多俞穴，俞就是通道的意思，有肺俞、胃俞、脾俞、肝俞、胆俞、心俞、厥阴俞、肾俞等等，这些俞穴各自通着各家的脏腑，这就跟不同的工厂都有自己的排污管道和途径是一个道理，因此，咳嗽就治疗肺俞，胃痛就按摩胃俞，心血管有病就检查厥阴俞。治疗这些俞穴效果如何呢？可以说，越是经久难愈的疾病，这些俞穴就越显得有效。

曾经有朋友向我介绍一家拔罐中心，说是曾治疗了许多疑难杂症，很神奇，我便到这家中心去看了看。这家中心的治疗方法就是在后背的膀胱经拔满了罐，然后看拔出颜色紫黑的地方用梅花针点刺出血，最后再在出血的地方拔罐。很多有慢性病的人都感觉效果立竿见影。但也有不少人私下聊天说，头几次治疗效果很好，几次之后效果就没什么进展了，有的人治了3个疗程，反而觉得效果越来越差了，却不知何故。

我对朋友说："如果你要做这种治疗，最好就来治疗3次，以后隔一个月再来治疗一次就可以了。"朋友问我为什么？我说膀胱经是最好的排毒通道，有慢性病的人大多在体内血管中堆积了不少的毒素，通过刺血将体内堆积多年的瘀血排出一些，身体的血液循环得以重新被激活。但是体内的瘀血通过俞穴被拔出后，继之而来的却是好血了，再反复地放血吸拔，是白白浪费了好血，于身体无益，这时需及时培补气血，将内力养足，为冲击更深层的瘀毒做好准备。隔一个月来一次就是给身体养精蓄锐的喘息时间。

朋友又问我，除了后背，膀胱经腿脚上有什么可以自己独立操作的穴位？我说那太多了，先说委中穴，经穴歌诀里有"腰背委中求"，是说后背、腰部的病痛都可以用委中穴来解决，实际上是不是这样呢？根据本人的经验，只要是腰痛，按摩委中穴通常能减轻30%的疼痛，这是一个不错的穴位。委中穴最独特的作用是能让鼻子通气，有的人长年是"一窍不通"，按摩委中穴有即时通气的作用。但是要有正确的方法，取侧卧位，鼻子不通气的一侧身体在上位，屈腿用大拇指点按委中穴，需稍用力。如果有人说，试过这个穴位了，当时真管用，却不长久，鼻子又堵了，有没有可达到长通不堵的治疗穴位？我告诉你，还真有，就是臀部上的膀胱俞，这个穴针灸最佳，如用点穴法必须要找准穴位，且用力要大，感觉点揉时和鼻子相通了才会有效，且疗效持久。再说两个穴位，都是治腰痛的。一个是治疗慢性腰痛病的（一个月以上），选取小腿肚子上的飞扬穴，只这一穴，点按5分钟就够了，比按摩整个后背一小时效果还好。还有就是位于外脚背的金门穴，是治疗急性腰痛（两周以内）的。此穴穴位较深，按摩时可用食指关节点按较为有力。但是要提醒你的是，这两个穴位治疗的腰痛主要是针对腰脊两旁肌肉的，对于腰椎本身的病痛（那是需要选取肾经和胆经的穴位来治疗，这里只说膀胱经），则效果较差。此外，点按昆仑穴、仆参穴、申脉穴对腰痛都有很好的疗效。有这么多治腰痛的穴位可选，你还用担心腰痛吗？

此外，小腿上的承山穴可治疗痛经和痔疮，脚上的京骨穴可治疗后头痛和眉棱骨痛，通谷穴据说对颈椎病效果显著。还有就是至阴穴，最神奇之处就是它有催产的功效。只用香烟在至阴穴上灸一灸，就能使胎位转正，真是不可思议！

说了这么多功效，本人认为选取膀胱经治疗腰痛，疗效最为确切。

■ 求医录

Yasu 问：

背上的膀胱经可否像敲胆经那样敲？我想要加速自己的排毒。

中里巴人答：

敲打膀胱经是很好的健身运动，只是要选择好工具（软硬适度，有些弹性更好），一定要由轻到重，循序渐进，打到后背略微发热即可。

温和的日子问：

我今年36周岁，女，16岁前人很健康，但小时候黄瘦。16岁时家兄患白血病，一年后去世，我因此痛不欲生，之后数年一直在这样的情绪里不能自拔，身体也从此不好了。常感冒不好，嘴唇内侧长囊肿，走路无力，于1992年无奈中去北京学气功，练了一两年，好转。1993年因工作单位不理想，心情很差，身体又开始走下坡路，走路无力，脚发软，有时感觉累得疼。而我本身做财务的，工作也不累，就是身体没有力气，常感冒。1998年结婚后，怀孕3个月自然流产，1999年怀孕7个月死胎引产，2003年怀孕50天药物流产。期间夫妻感情也走向分裂，我在这几年里心情坏到了不能再坏的境地。我爬楼到3层就累得喘气，累得脚软并疼。找中医看，说我未老先衰，主要是肾虚，怕冷，应该是肾阳虚，爱吃姜，冬天手脚冰凉，夏天不敢吹风扇。2005年生下小女（剖腹产）后，人很胖，虚胖的那种，稍微做点事就累，头昏，容易尿路感染，容易腰酸痛。2006年7月找中医看，说我心脾失调，肺肾气虚，脉细，开中药21贴，吃后感觉好多了。只是常年睡眠不好，主要是多梦，几乎整晚都做梦，且爱梦发大水。白天头昏，记忆力很差，一扭脸的工夫就忘事。脾气暴躁。吃饭方面，荤菜吃不多，饭量还可以。自己带小孩，很累。

基本的情况就是这些。看书多了，上网久了（半小时）就眼干涩，累。有时喜欢趴着睡，感觉要舒服一点。我该如何在饮食及药物方面进行调理？

Jnc 答：

您现在的状况既有先天原因也有后天原因，主要是因为不良的情绪和心理。

首先，您先天脾胃不太好，黄瘦，是典型的气血亏、脾胃不太好的表现。后来遇到大悲、工作挫折、夫妻感情等巨大情绪问题，严重伤到了心、肺及肝，从而渐渐引发了体内各经络、脏腑工作的紊乱，最后造成了肝郁、气血双亏的局面。您的肾、肺、脾胃都是气血虚的受害者。首要原因是情绪。

其次，大悲损伤肺气。伤了肺气，原本您先天气血就有点亏，此时加重，肺又伤了肾气，从而肾阳虚怕冷。肾与膀胱是搭档，肾工作不好势必会影响膀胱经的排毒功能，造成垃圾堆积，典型的是后背虚胖、肉很多、软若棉絮，肚子虚胖，腿后侧胖等现象。此外还可以造成头晕、头发蒙、记忆力不好，这都是肾与膀胱经造成的。

再次，您一定生闷气很多，从而有了许多肝郁的表现，脾气暴躁就是其中一个表现。眼睛酸涩也是肝郁、肝血不能养目的表现。另外肝郁严重影响到胆、脾胃的工作，也因此加重您的脾胃不好，气血生化无源，而且睡眠又不好，进一步造成气血亏加重。其实开始几次怀孕失败不是偶然的，是身体气血不足无法负担而造成的。身体应付您本人活着都凑合，何况怀小孩这样耗费巨大的工程，因此造成流产、月经紊乱都不奇怪了。那是身体的警告。此外，您的虚胖也和剖腹产手术有些关系，生孩子及手术很伤元气。原本就气血亏，此时就更加重了。

您需要做的是：改变情绪→补充气血→疏肝健脾→益肺补肾。这些是按箭头的先后逐步来的，不是同时都能实现的。希望您有耐心，因为病不是一天两天可以解决的。要有调理一两年的决心。

鉴于您的问题情绪原因很大，可否多与朋友或者心理医生交谈，甚至找机会大哭一场，将心中郁闷发泄出来。尽量看开些，保持乐观的精神状态，这对改善您的问题很关键。"不要用别人的过错惩罚自己"，而且你的哥哥也不希望你因为他每天活在悲伤之中。

除改善情绪外，您适合吃些解除肝瘀滞的小成药，例如逍遥丸、加味逍遥丸（如口渴、心烦可吃），具体用法可见调理月经那篇文章。月经前后吃些逍遥丸，可以减少您暴躁或抑郁的感觉，使心灵舒畅一些。此外，晚上有空就手指按压脚上的太冲、行间穴位，方向是由太冲到行间。如果压着很痛就说明很好，这样可以帮您疏导肝火，每次按3～5分钟。晚上用热水泡脚也很好。

另外，可以长时间服用参苓白术丸，每次1袋，每日3次，饭前一小时空腹吃。

同时可以买点白人参，一次15克熬汤喝。如果吃几天后无上火感觉，就适宜长吃；也可以用10克白人参，加入牛肉、柴鸡或乌鸡炖汤喝。经常吃炖的肉和喝汤，里面多放姜和料酒、少许盐，每顿少吃粮食，把肉代替饭吃，配合一些蔬菜，饭后吃些山楂丸。最好是每日至少吃一两次牛肉，牛肉长气血最快。如果可以，吃两个月看看。平日多吃些红枣、桂圆，饿的时候就少吃粮食，拿这些东西当粮食吃，还可以经常喝淮山药（药店卖的）和芡实粉熬的粥（1∶1）。

如果您爱吃姜和很烫的东西，可以买一盒附子理中丸吃吃，每顿饭前吃一颗。这个药可以暖脾胃，还补气。如果觉得好吃，就吃它一两个月。手脚冷、腰酸等问题也可以适当吃些桂附地黄丸、是浓缩丸，16～20粒，睡前服用。此外，螺旋藻对改善手脚冷有明显效果，您也可以买来吃一两个月看看，一次6片，每天3次，饭前30分钟吃。失眠的同时若有心悸，又感觉饿，就睡前吃些桂圆及柏子养心丸（1～2瓶盖）。若伴有烦躁，手脚心发热，可吃牛黄清心丸一颗，可以帮助改善睡眠。乏力、口渴、全身软而无力的，也可以喝人参生麦饮2支，人参生麦饮也可以帮助睡眠的，就是价格有些贵。根据您自己的感觉随时调整吧，没有固定的章法。

至于膀胱经，可以去保健的地方给您刮痧、拔罐。但如果现在您气血很弱，估计刮痧没有反应，还是沿膀胱经拔罐为好。

XjAcKs 问：

我女朋友昨天搬东西时扭到腰，现在身体只能弯着不能直起来，一直起来，背后腰部和屁股中的部位就会疼。不知按摩什么穴位可以缓解或者治疗这种症状？

中里巴人答：

急性腰扭伤可选择委中、申脉、金门（膀胱经）、复溜、太溪（肾经）穴，哪个穴痛就多按哪个，按到不痛为止。腰部伤处不要按摩。

第五章

我们每个人身上
本来就百药齐全

　　人体气血总量在不同情况下是相对恒定的。按照生存的需要，气血首先要确保脏腑器官的需求，然后才是四肢百骸；就像一棵大树，要先长树根、树干，再长枝叶。脏腑又是确保气血生成与贮藏的源头，只有脏腑健康、功能相互协调，才会有足够的气血储存以供人体日常使用。

1. 我们每个人身上本来就百药齐全

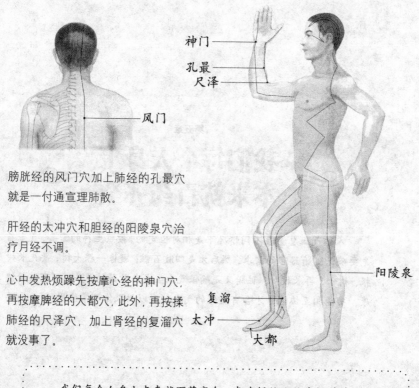

神门
孔最
尺泽
风门
阳陵泉
复溜
太冲
大都

膀胱经的风门穴加上肺经的孔最穴
就是一付通宣理肺散。

肝经的太冲穴和胆经的阳陵泉穴治
疗月经不调。

心中发热烦躁先按摩心经的神门穴,
再按摩脾经的大都穴,此外,再按揉
肺经的尺泽穴,加上肾经的复溜穴
就没事了。

> 我们每个人身上本来就百药齐全,都在经络穴位中翘首待选,只看
> 医者和本人会不会用它了。

学习中医知识本身并不难,难的是我们一定要清楚究竟要学些
什么!

很多朋友对学习中医充满了渴望和决心。先被中医的神奇所感
动,再被偶然的成效所激励。然而随着一些看似难以逾越的屏障挡在
面前,便逐渐踟蹰徘徊,最终磋砣放弃。

一日去朋友家坐客,看到他的宝贝女儿正拿着针灸针聚精会神地

在一个金黄的橘子上练习针刺。她是某中医院校的学生，说这是老师留的功课。我看到满桌上被扎烂的橘子，说："这么好的橘子吃了多好！"她问："郑叔叔，你当时学针灸是扎什么呀？"我笑着说："我可舍不得去扎橘子，只是扎自己，针刺得满身青紫，艾灸得遍体疤痕。"她说："郑叔叔，你来扎扎这个。"又指着墙上的一个纱布包，对我说："这是由两张白纸、三层棉花、四层纱布组成的练习针刺的法宝，这包正中心有一个牛皮纸撕的小碎片，旁边还有一粒黄豆，看看您能否一针穿过小纸片，然后再扎到黄豆上。我已经练了两个月了，还是不行，您应该没问题吧？我们教针灸的教授说了，不练会这个以后别想成为高明的针灸师。"我连忙举手投降，头摇得像拨浪鼓。她很失望："郑叔叔你都不行，我恐怕是练不会了。"我问她："为什么要扎得这么精确呢？"她说："扎得准才能针感强烈，效果才能好呀。"我又问她："那你说说看，身上的穴位是你刺它才起作用呀，还是你不刺它它也起作用？"她似乎从来没有思考过这个问题，边反复扎着桔子，边疑惑地看着我。我对她说："穴位就像是一群孩子，平常都在那里玩，有的孩子玩累了，就趴在那里打个瞌睡，想让他醒，轻轻拍拍他的肩膀就行，何必非要狠狠地踢他一脚呢？你这个幼儿园的阿姨不去调动这些孩子玩的积极性，却天天在那里练习踢人的技术，难怪你越来越失去信心了。"

我常常接触一些海外的客人，他们迷信中医，崇尚中医奇妙的理论，但是他们同时也害怕针灸、畏惧汤药，问我中医除了针灸、吃汤药还有什么其他更简单的方法。我说："当然有了，针灸只是舟楫，没它照样行船；汤药不过调羹，有它只为方便。"难道没带针具，药店关门，中医大夫就束手无策了？我告诉他们，我们每个人身上本来就百药齐全，都在经络穴位中翘首待选，只看医者和本人会不会用它了。

举个例子，治疗月经不调通常首选逍遥丸，如果手边没药，我就按摩患者肝经的太冲穴和胆经的阳陵泉，效果一样，且更为迅捷。如果心中发热烦躁，常用牛黄清心丸，但有人担心这药若常吃其中的朱砂会对身体有损害，我就教他先按摩心经的神门穴，再按摩脾经的大都穴。此外按揉肺经的尺泽，加上肾经的复溜，相当于六味地黄丸。按摩膀胱经的风门加上肺经的孔最就是通宣理肺散。还有血府逐瘀汤、补中益气丸等等几乎所有的常用中药，都可以从经络穴位中找到同类。

有人因为针灸太复杂，总是敬而远之；因为汤方太繁多，常常如坠云雾，再加上脉学玄秘、经文古奥，更觉得中医高不可攀。其实，这是你自设迷障，学中医本可"闲庭信步通幽径"，何必非要"踏遍群山觅归途"呢？事障易解，理障难除。学习中医知识本身并不难，难的是我们一定要弄清楚究竟要学些什么？否则尽管学得殚心竭虑，最后也是劳而无功。

所以我的建议是，学习中医要从经络开始，从穴位入手，因为经络穴位都在我们自己身上，随时可学，处处可用。我再重复一下：穴位不是因为你用针刺才起作用，而是时时都在对身体起着调控作用；穴位起不起作用不是因为你针刺够不够深，而是主要在于你的气血流没流到那里。按摩、点穴、拔罐、意念守窍都有针灸的功效，没有优劣之分。所以你即使不会针灸，也可以是经络专家，丝毫不影响疗效。

如果你想送心爱的人一朵玫瑰，那么茎上的刺就不是问题。

■ 求医录

好学问：

　　哪几处经络穴位相当于补中益气丸？

中里巴人答：

　　这是一个简单又复杂的问题。如果您是一个刚接触中医的人，我会径直告诉您，只要按摩太白、商丘、太冲三穴就会有补中益气的效果；但倘若您学习中医已经有很长的时间了，我这样说就会扰乱您的思路。就像您问我月亮在哪，我用手一指，您不去看月亮而是盯在我的手指上，那样您岂不是永远也看不到月亮了？其实，穴位是死的，又是活的。同样的穴位，体质不同，效果也会不同，所以须灵活变通才好。

2. 穴位就是你随身的药囊

> 敲胆经，揉心包，金鸡独立，推腹法……简单易行又有效。如果您想养生祛病，这些技法就是随身的药囊，方便实用。

很多朋友对中医情有独钟，多次向我讨教学习中医的方法，并让我推荐入门读物。我总是推荐中医院校的课本。然后，朋友们又问，那么学会了这些课本就能治病救人吗？我说不能，学会了这些课本可以当个中医博士，但是却不能治病。大家就很失望，不愿意去读这些课本了。

那么，学会哪本书就会治病了呢？其实真要是有这么一本书，岂不是人人都成了《倚天屠龙记》中的"胡青牛"了？我这里没有"九阳真经"，我也不知在哪里能找到，我只是随时把自己的感悟当做真事儿，相信那是老天的赐予，而不是事事把自己的想法用权威的标准来定夺。

我读过《黄帝内经》，是零星地去翻看的，从来没有当做必学的功课一页一页地去分析、体会，更没有去背诵它。

我读过《伤寒论》，是把它当做小说来读的，有兴趣就多看，没兴趣的地方就翻过去。

我读过《针灸甲乙经》，把它当做字典，有忘记的字再去查。

我还读过各类的古典医药书，东看一眼，西看一页，走马观花，不求甚解。很多书之间观点完全对立，而且互相针砭、鄙薄，但全是医学大家，难分优劣。我都统统奉若神明，摆上贡桌，一一礼拜。最爱看两派交锋之点，最喜读书中禁忌之处，因为那正是治病救人的诀窍玄机。

一本好书读到兴头，我会拍案叫绝；读另一本观点完全不同的书，我也同样会拊掌称妙。有人会说，你到底有无立场？你到底算哪头的呀？

其实，"是法平等，无有高下"。喝完咖啡，我还想喝点清茶，难道就大逆不道了？只是喝的时候要把残根儿倒掉，否则您既喝不到咖啡的浓郁，也品不出龙井的清纯，只是一碗不伦不类的"污水"。有人想从我这儿学走一招半式，我倾囊而授，从不隐藏。可你不去换个新杯子，也不舍得倒掉杯子里的红酒，却想品味我瓶中的茅台，那你永远也喝不出真滋味，不晕才怪呢！

从山上看山脚下的树，我说树小如草，可你正在树旁站着，你说树大参天——咱们说的是同一棵树，却永远也争论不清。

有一只狗卡在墙洞里，进退两难，我说应该往外拉，你说应该从里推——咱俩一个墙里一个墙外，你说听谁的好呢？

有人说，我们就喜欢敲胆经、揉心包经、金鸡独立、推腹法，简单易行又有效。如果你作为养生祛病，这些技法就是随身的药囊，方便实用。我们已经尝到了果子的香甜，但是要栽培果树还需另下树种才行。

还有人说，你就告诉我，哪个穴治胃痛，哪个穴降血压，哪个穴能补肾，哪个穴治失眠，我去实施操作，而你也就功德无量了。

你觉得这是捷径，我却觉得这是迷途，你急于走脚下的小道，却不看山顶的信标，每当岔路总会彷徨无措，每遇沟坎定不知如何搭桥。授人与渔无人学，授人与鱼争先抢。如果你执意去走小路，我可没有能力去为你开道，因为那样不但你是山重水复皆岔路，我也会困陷荆棘满身伤。有人会很不耐烦："你别老卖关子，故弄玄虚了，说，我们现在该看哪些书吧？"我会推荐你去看正统中医院校的课本。"你不是说看完这些课本也不会看病吗？那还看它干嘛？"我们都熟悉这句话："知识就是力量"——可我们有了知识就真的有力量了吗？其实——"善用知识才是力量"。可你一点知识没有，你又去用谁呢？

我的儿子是班里的宣传委员，书法不错，老师就让他在班里白墙的两侧写上一幅对联，儿子写的是"书山有路勤为径，学海无涯苦作舟"。我看后觉得词儿太俗，没什么新意，就自作聪明，改为"书山有路勤更巧，学会无涯荡轻舟"。结果第二天放学，儿子就哭丧着脸，责怪我多事儿，害得他被老师臭批一顿，说他是宣传投机取巧、好逸恶劳的思想。这真令我哭笑不得，也让我想起上初中的时候学的一篇古文——《愚公移山》。老师让我们写读后感，我写道："愚公抛开晚年的天伦之乐，再搭上儿孙们一生的幸福，只为解决一个'碍其出入'的小事儿，不值得称道。山不转水转，既然搬不动山，那我们就搬家，何必自找麻烦？寓言里神仙会帮他，现实中老天爷却不会同情这样的人……"

还好，那时已是80年代了，没把我打成反革命，只是在班会上批判了我一下。回想起当年老师和同学们情绪激昂的样子，真让我笑破肚皮。

说这些，你只当听个笑话吧！不过，我想这可能就是我的心路历程，而且我也喜欢这样走下去，当然有几个知音更好，没有，我也一如既往……

3. 锻炼身体要先脏腑后肢体

> 你见过树枝粗大而树干纤细的大树吗？你一定会觉得那是怪胎畸形，因为它不符合自然的规律。但我们在身体锻炼中却经常这样去做。我不是反对人们在日常生活中适度的肢体运动，这不但必要而且充满情趣。但是锻炼要知先后，分缓急，明主次，先脏腑后肢体，脏腑有问题的要先解决了才能去锻炼。

现在重视健身锻炼的人越来越多，大家希望身体强壮、健康长寿；锻炼的方式也很多，简而言之，都是在强调肢体的运动，并以健美的身材和漂亮的肌肉作为锻炼的最终成果。但是，这样锻炼是否真正能够达到健康长寿的目的？答案是否定的。

很多参加锻炼的人都是因为身体弱或者肥胖，有各种疾病或是为追求完美的身材。他们锻炼的目的多数是为了健康、健美，但由于其本身脏腑多多少少都存在功能缺陷，这种锻炼不一定对他们都是好的。

众所周知，人体气血总量在不同情况下是相对恒定的。它有自己的分配规律。按照生存的需要，气血首先要确保脏腑器官的需求，然后才是四肢百骸；就像一棵大树，要先长树根、树干，再长枝叶。脏腑又是确保气血生成与贮藏的源头，只有脏腑健康、功能相互协调，才会有足够的气血储存以供人体日常使用。

如果人为过多地去锻炼四肢肌肉，而不考虑脏腑的需要和气血的生成能力是否跟得上锻炼的需要，那么五脏六腑相互间气血协调的分配就会被打乱。锻炼后被刺激增多的肌肉与血管同样需要大量血液供应，虽然身体会对增长的气血需要产生适应和代偿，不断加强气血的制造，但气血的增长不是短期能达到的，一般需要1～3个月才会有明显提升，气血在很长时间内处在僧多粥少的境地，四肢就会跟脏腑抢夺有限的气血资源。此时，只有通过心肺的超负荷运转来弥补气血的不足，例如心跳加快、减少对胃肠血液供应等。身体会减少一些脏腑的气血供应来满足本属次要地位的四肢。肌肉粗壮了，而脏腑由于缺血，功能反而减弱了。

脏腑在气血欠缺的情况下还要完成消化吸收、新陈代谢、免疫防御、神经调节、内分泌激素调节等重要工作，此时身体内有限的气血资源只好拆了东墙补西墙，引发一些脏腑功能障碍，原本气血就不足、功能就不好的脏腑会变得更差，最多见的是运动性闭经、月经紊乱、运动性贫血、胃肠功能紊乱等。

长期气血不足会导致脏腑功能早衰，影响寿命。国外很多运动名家都是在晚年疾病缠身。大陆的许多武术家由于没有真正了解内功心法，只重视筋骨皮和技击实战的锻炼，而忽略了气血的培养，反而没有普通人长寿，他们晚年罹患心脑血管疾病以致半身不遂的极为普遍。

你见过树枝粗大而树干纤细的大树吗？你一定会觉得那是怪胎畸形，因为它不符合自然的规律。但我们在身体锻炼中却经常这样去做。我不是反对人们在日常生活中适度的肢体运动，这不但必要且充满情趣。但是锻炼要知先后，分缓急，明主次，先脏腑后肢体，脏腑有问题的要先解决了才能去锻炼。这就像先悉心培育好大树的根基与树干，使其粗大深埋才能获得良好的营养支持。相对应于人体就是调养好脏腑（别在脏腑自身气血不足的情况下去雪上加霜），使其功能协调、气血充沛，可游刃有余地供应自身与锻炼的需要。在此基础上去适度锻炼，才会感到精力充沛，乐趣无穷。不然让脏腑带病工作，不仅会增加其负担，而且锻炼后疲劳难以恢复，那样锻炼就毫无乐趣可言了。

举个例子吧。邻居家的小姑娘，15岁，一直肠胃不好，身体虚弱，手脚冰凉。她母亲说她就是缺乏锻炼，于是每天早晨都逼着她去跑步，跑了3个月，手脚不怎么凉了，可气色还是很差，肠胃也没见好，且不来月经了。我给她诊了脉以后，帮她分析了病因：脾胃是后天之本，气血生化之源，脾胃不好，产血不足，不能保证全身的血液供应，所以身体虚弱；血少无力循环到四肢末梢，所以手脚冰凉；本来五脏六腑尤其肠胃就缺少足够的血液滋养，时时等待着心脏的供血，但此时却强迫心脏将血液输入两腿两足，舍其本而供其末，造成血液生成能力的进一步减弱，难怪因此血少而闭经了。于是，我让她先不要去跑步，先对脾胃进行锻炼，告诉她如何将血液引入脾胃的方法，又配合吃了一点保养脾胃的小成药。也就是不到一个月的工夫，她的面色就开始变得红润，人也显得漂亮多了，肠胃已经没有任何不适，月经也如期而至。她对我说，她现在有一种想跑步的愿望，因为她觉得身上有劲了。我说好呀，想跑就跑呀。很多人都觉得慢跑会使身心达到很好地锻炼，且是一种享受。这么好的运动，我怎么会反对呢？

■ 求医录

盈盈问：

我儿子现8岁，1岁零8个月就患上哮喘。西医检查确诊为典型的过敏性体质，同时患有过敏性鼻炎和过敏性荨麻疹，且经过过敏源测试，对屋尘螨及粉尘最过敏，另外合并对一些花粉也过敏。

4岁起我就让他参加游泳训练，坚持了3年，包括冬天，均在室内游泳馆进行。最近一年改成1周5次，每次1个半小时的羽毛球训练，运动量很大。这样训练后，他的哮喘两年内基本没有发作，但鼻炎越来越厉害。

请问，现在的运动会不会过了？

中里巴人答：

根据您的陈述，我觉得小孩的运动量有些大了。

在中医的概念中并没有过敏性体质，每一种症状都必须利用推理的方法寻找产生的原因。

过敏性鼻炎的症状是打喷嚏、流鼻涕。这是身体排除寒气的症状，因为生活中有大量的寒气会不断的侵入人的身体，较健康的身体自然会不断地排寒气，也就不断地打喷嚏、流鼻涕，不是鼻子敏感才打喷嚏。

荨麻疹则是身上长红点，有时是身体排除体内有毒物质的方法，身体会选择最短的路径排出这些有毒的东西，不会让其循着微血管、血管、肝、肾等正常的途径来排泄，以免伤及其流过的器官，因此从皮肤直接排出是最明智的。这些有毒物质包括日常饮食中的化学添加剂或化学合成的西药，所以荨麻疹也必须找出其原因。

这些症状大多数是身体内部的活动造成的，而不是外部刺激产生的。哮喘是痰盖住了气管造成呼吸困难的结果。痰的来源可能是胃或肺，胃是胃寒，肺则是寒气，因此这个孩子也会出现过敏性鼻炎。另外，孩子肝火过盛，过盛的肝火会将胃或肺里的痰向上推到气管，这才发生哮喘。胃或肺产生的痰是这两个器官排除寒气时的现象。

身体只有在血气充裕时才有能力排除寒气，因此使哮喘症状消失有两种途径：

1.提升气血，使身体有足够的能力将寒气排除干净。这个方法会出现许多排寒气的症状，不断地打喷嚏是其中最主要现象，但此现象却被认定是过敏性鼻炎而急欲去除之。

2.不断地透支体力，使气血下降到身体失去排寒气的能力，则痰也不会再产生，哮喘的症状自然消失。估计孩子的症状消失是这个途径。运动并不会产生能量，只会疏通经络。游泳时很容易受寒，当从水中起来，只要受点风寒，打个寒颤风寒就进入了身体。过度的运动，加上不断累积的寒气，使气血愈来愈亏，当然身体不再有能力排除寒气了。气血不足时，症状都不会再度出现。只有在停止大量剧烈运动后的调养时间内症状才会再出现。

4. 最损健康的是心理上的痛苦

> 其实，最耗心血最损健康的不是身体的劳累，而是心理的矛盾和冲突。心灵的力量是可以穿越时空来传递的，发自内心的选择才是最好最适合健康的选择。

我的身体近来有些透支：白天培训、演讲、咨询、诊疗，紧锣密鼓；夜里写博、答疑、撰书、备稿，不亦乐乎。

好在周末闲暇是不容侵犯的，周六献给老婆、儿子，逛街、运动；周日留给自己和朋友，读书、小聚。

这似乎已成了生活的惯性，不是我在自由地迈步前行，而是像被风推着无法驻足。

老婆总担心我这样身体会垮，老吴（清忠）也常来电话要我注意睡眠。被老婆和朋友们时时关爱着，令我的心里常常涌动着一股暖流，这似乎就是最有力的补剂、最新鲜的气血。

我深知身体是不会给我带来疲劳的，因为我不是一个体力劳动者。我会随时在一分钟之内睡着，做两个有趣的梦，然后在 3 分钟之后醒来，感觉像是睡了 4 个小时。

也许这就是我倚仗的法宝，但当半个月前对着镜子刮胡子的时候，额头的一丝白发却让我吃惊不小——难道这就是身体开始苍老的迹象？还是对我轻视健康敲响的警钟？

前不久，一个朋友在饭桌上帮我联系了一宗"生意"，为几家大公司做健康演讲，酬劳很高，但演讲时间由他们来定，为此我必须推掉预订好的培训，再搭上周末的闲暇。这让我很为难，晚饭时我随口一说，老婆倒也支持，说这是我的事业，本该如此，不过晚上要早些

睡觉。儿子则全力反对，笑我"重物轻人"，见利忘义，对我表示鄙夷。真是当局者迷，面对取舍，我有些不知所措，

当晚本想好的博客主题，却在这种心态下昏乱如麻，面对着Word文档，半天也打不出一个字来。我感觉胸口有些躁热，从冰箱拿了听冰镇啤酒，一饮而尽，迷茫地盯着电脑屏幕，很快眼睛变得酸涩流泪，肩膀也僵硬疼痛起来。这是我难得的疲劳状态，我只好关上电脑，上床睡觉了。这一宿睡得轻浅，很不解乏，早上揉着惺忪的睡眼，在镜前欣赏着自己的尊容：脸色暗淡，眼睛混浊，毫无神采。呵呵，刹那间我突然想起了一句成语——"利令神昏"，可能就是我现在的这副德行了。

一念闪过，突然如释重负，心中豁然开朗。于是我拿起电话，谢绝了这桩"美差"。周六陪儿子去打网球，我们挥汗如雨，玩得畅快淋漓，我依然是他心目中的英雄。这时的感觉真实而又充满力量。

说也奇怪，没过两天朋友又打来电话说，几个老总都想见见我，交个朋友，说佣金还可以再加些，讲演的日子也由我来选定。这真是出乎我的意料，但由此我更加真切地感觉到，心灵的力量是可以穿越时空来传递的，发自内心的选择才是最好最适合健康的选择。

5. 打坐可以激发出我们身体内的健康潜能

> 为什么要静呢？因为静可以给我们无比巨大的力量，令我们身心合一，它联通了自然之力，这种力量无坚不摧，无疾不除。它不损耗我们身体的能量，还发掘出我们固有的源源不断的潜能。

有朋友问我打坐的好处，是否可以打通经脉，是否可以代替睡觉，是否可以开天目？我说没有那么好，打坐通常会手脚发麻，感觉经络堵塞；打坐经常会半梦半醒，使人陷入昏沉；打坐常常杂念丛生，令人神思混乱。朋友不信，说我不传他心法，回家自己去练了，练了一个月后对我说，真如你所说的那样，打坐好像也没什么好的。

有人说，打坐的姿式最重要，跏趺坐、金刚坐、如意坐、跨鹤坐等，能打出各种花样来，且坐坐精通。

有人说，打坐重在守窍，或百会，或眉间，或膻中，或气海，或命门，或涌泉，要守到"气凝成丹"才成。可结果丹没结成，反倒出现血压升高、胸闷气结、血淋崩漏、阳亢遗精等诸多难治之症。

有人说，自己心思太乱，杂念太多，忧虑烦恼萦绕于心，打坐只是想图个静心安神。我说，打坐恐怕帮不了你，如果你睁眼的时候心乱如麻，闭上眼睛盘腿一坐也一样如麻心乱。

有人说，打坐的时候我心里默念"意守丹田"、"注意呼吸"，渐渐地我不就守住了？如果一个人你不爱他，却在心里说我应该爱他，他这里好那里好，值得我爱，你就真爱他了？

开始学车的时候，教练会提醒我们精神集中，身体放松。很多学员边开车边心里默念着"精神集中，身体放松"，可四肢僵硬得像一根棍，睁着眼睛把车往沟里开。

但是，如果你真心地爱一个人，似乎不需要再提醒自己他哪里好、哪里值得你爱，或许在别人眼里他一钱不值，可你却仍为他痴狂，时时牵挂。同样，当我们学会开车以后，我们即使听着音乐、聊着天、打着电话，精神仍然是集中的。

有人说，那打坐可不可以入静呢？这就像有人问，你的手饰盒用来装什么，我说装手饰。其实打坐就像手饰盒，它原本是用来装"静"的，但如果你没有"静"，那么装在里面的或许就是个爬动的小虫了。但是你若有"静"，你又不必总把它装在手饰盒里，可以随身带在身上，无处不"静"。

当然，如果你已经有了名贵的手饰，我们还是应该给它找个好的手饰盒——打坐就是这个手饰盒，它是用来装"静"的。如果您能够很快入静，再去打坐，那么才会有进一步的感悟。

其实，你首先要知道静是什么，我们为何要去寻求它呢？静不是让你默不作声，闭目塞听，而是让你意念集中，精神投入，以达到忘我的境界。

为什么要静呢？因为静可以给我们无比巨大的力量，令我们身心合一，它联通了自然之力，这种力量无坚不摧，无疾不除。它不损耗我们身体的能量，还发掘出我们固有的源源不断的潜能。

其实，如果你打坐是为了入静，那么对于心里很乱的人来说，就不要选择打坐；不要试图让一个多动症的孩子手放背后坐直，那样根本无济于事。

有很多人肝火很旺，脾气很急，就更不适宜在那里意守丹田；越守火气越旺，无处宣泄，在机体里四处乱撞，造成脏腑功能紊乱。这种人要选择动中求静的运动，最好是那种有些对抗性的两人运动。就拿打网球来说，运动强度很高，看着一点不"静"，但精神是高度集中的，打得激烈的时候，外面的一切好像都不存在，眼里只有对手，心里也只是那个球。还有跆拳道、拳击，更是必须精神专注，否则就会被动挨打。要知道，只有动中静，乱中静，才是真的清静。

还有书法家，在尽情泼墨的时候，眼前哪里还有书案纸砚，完全是天马行空、情随意转。钢琴大师的即兴弹奏更是人琴合一、心乐共鸣。

其实专注就是入静，入静并不是入空去追求虚无，而是不用心力，没有阻碍，就像是一个圆润的玻璃球儿，将它投在光滑的冰面上，靠始发的推动力一直滚下去，没有摩擦也就没有损耗。当你放弃人为力量的介入，内心的自然之力便会显现出来。

金鸡独立是最好的入静法门，而其补肾健脑之功、引血下行之力，不过是入静的副产品。如果打坐不能安心，睡眠纷然乱梦，那都是心不静的症状。练习金鸡独立真是一个接引的桥梁，因为在练习金鸡独立的时候你是无法分神想事的，没有给你想事的时间和空间，你稍不集中精神就站不住了。而当你能站到2分钟了，意念自然就容易专注了。这时你再去打坐，很快就会入静。

有人打坐想追求开天目，希望能看到神佛的形象或听到天外之音，想做一个通灵的人，结果灵没通成，却走火入魔，成了妄想狂。一旦如此，想再回到正常的心态就非常之难了。

所以，在练习打坐之前，一定要先读读《金刚经》，上面有4句话，就像是套在孙行者头上的金箍，不让人起心猿意马的妄念，那正是佛对孙悟空的师傅须菩提祖师说的："若以色见我，以声音求我，是人行邪道，不得见如来。"可现在的人却偏向邪道行，有困难要上，没有困难创造困难也要上。很多人对《金刚经》不屑去读，却忙着追求特异神功，岂不知"平常心是道"。越是离奇怪诞的东西离道越远。

"千江有水千江月，万里无云万里天"，你看每条江里都有一个月亮，可那都是幻影，是水中月；有那么多的月亮在心中，你就永远看不到真正的月亮了。

你有1000个杂念，便有1000个幻影相随，你的精力便有1000个人为地损耗；但如果你一念清静，真实的全貌就尽显在你的眼前了。当你不再搅动混水的时候，却发现它反而清澈见底了。

6. 养生要养到实处

什么是最重要的呢？那就是可以真正改变我们体质的方法，可以摆脱我们忧愁恐惧的方法，可以完善我们身心的方法。而不是一经一穴、一方一药，只对症于一病，只苟延于一时。

很多人觉得，只要把经络穴位都熟记于心，汤头方剂都倒背如流，便可治己救人了。岂知学医和看病是两回事儿，就像武术中的花拳绣腿，学它百种套路，用来搏击实战，倒不如拳击一招来得实惠。所以，学武就要学少林武当真功，学医就要学治病养生心法。有人说，学些总比不学强。其实，那也不见得，不学百无禁忌，倒也潇洒；学完动辄得咎，作茧自缚。

学习必须知道目的，我真正想得到什么。孙悟空向老师须菩提祖师求道，祖师告诉他许多道法，在其他徒弟看来都是可炫耀于世的绝学，但悟空只问："可得长生吗？"当祖师说"皆是水中月，镜中花"时，悟空便坚决地说："不学，不学。"

人生本应风光无限、妙趣横生，如果整日围着身体打转，担惊受怕，修残补漏，百般禁忌，那样你永远不会真正地康复，因为在泥水中永远别指望洗得干净，健康的幼苗必须在健康的土壤中才能长大。我宁愿送给你一株新鲜的小草，也不想送你一捧漂亮的假花。

什么是最重要的呢？那就是可以真正改变我们体质的方法，可以摆脱我们忧愁恐惧的方法，可以完善我们身心的方法；而不是一经一穴、一方一药，只对症于一病，只苟延于一时。如果头痛我们知道按摩"列缺"，有胃病就忙于寻找"足三里"，而不管头痛因何而生、胃病如何而起，那我们就有的忙了，头痛总会如期而至，胃病也必是宿命难逃。

7. 连国粹都不要的人，能不有病吗

> 醉鬼在巷里骂街，千万勿劝，一劝其必耍酒疯。泼妇在街头撒野，别
> 去围观，一围观更增其气焰。

某媒体约我写篇稿子，想让我驳斥一下某些人反对中医的论调，用我治病救人的鲜活例子去迎头痛击。

可我无话可说，因为我不知道怎么用语言去向一个聋子来表达声音，去向一个瞎子来说明颜色。我们需要解释吗？

天日昭昭，一切清清楚楚的，还需要蜡烛去点亮吗？

事实分明，古今有无数事例，还需要我再添加旁白吗？

清者自清，浊者自浊，一切无需辩驳。

醉鬼在巷里骂街，千万勿劝，一劝其必耍酒疯。泼妇在街头撒野，别去围观，一围更增其气焰。

有人指鹿为马，有人项庄舞剑，是非本不分明，何必我再添乱！

读者文摘

任何医学的存在都有其价值。若要评其高低，则先要分别西医和中医的不同。去看西医，经过化验、诊断，医生会跟你说：你的心脏有病，请去看心脏科医生。或说你的肾有病，请去看肾脏科医生；又或说你的眼有病，请去看眼科医生。总之是一对一，即点对点的关系，是名副其实的二维空间医学。去看中医，经过望、闻、问、切，医生会跟你说你眼的问题是因为你肝火太盛，或你耳的问题是因为你肾虚造成的。这是整体观，是从系统关联去诊断的。到此为止，中医是三维的。但中医若只是这么简单，也不

会令没有良心的西医如此视之如仇，更不会让现代科学的卫道之士口诛笔伐，如此不遗余力。

中医还有一个更高的层次，即时间观、时空观。真正的中医是可以预测和预后的。当然，会这种医术的人很少了，但不能说没有，如广西李阳波先生、美国佛州倪海厦先生等。所以说，中医是一个四维空间的学问，这很令现代科学尴尬，因为二维之与四维，实在是幼儿园水平和博士的水平之对比。这也是为什么生活在三维空间的人类对二维空间的西医能很直观地感受，但对四维空间的中医却很难理解——因为它不是直观的，是需要逻辑思维思考的。

为什么有那么多人反对中医？究其深层原因，是自我膨胀、自大、无知、恐惧等种种因素所成的。当我们看到这两三百年的科技成果，就觉得非常之了不起，是有史以来最棒的，当然，秦始皇兵马俑坑出土的剑因其镀了一层德国在20世纪才能熔解的铬而不生锈、长沙马王堆出土的48克的麻衣我们至今仍仿制不出来等问题，就闭着眼睛不去看它了。大家最惧怕的是现代科技给我们带来了丰盛的物质文明和享受，同时却带走了我们的精神追求，若现代科技有任何不妥，那我们便一无所有了。反对中医的人大都怀有这样的潜意识。

(Musushi)

8. 如何吸收自然界中的各种正面能量

> 一幅画会令我们心动不已，一支歌会让我们勇气倍增，一个眼神会令我们心仪神往，一颦一笑会令我们茶饭皆废。所有这一切都是一种巨大的能量。如何把正面的能量吸纳进来，如何把负面的能量排斥在外，实在是我们每天都要时时警醒的。

气本无形之物，却可能对有形之体产生极其深远的影响。比如说，有时一句话能使我们大汗淋漓，有时一句话能让我们神清气爽、力量倍增，而这时我们并没有摄入食物，并没有增加额外的能量。能量有时只是一句话，而同样的一句话，对于旁人简直是充耳不闻。能量是无处不在的，我们如何吸收自然界中无穷无尽的能量，那才是真正的学问呢！一幅画会令我们心动不已，一支歌会让我们勇气倍增，一个眼神会令我们心仪神往，一颦一笑会令我们茶饭皆废。所有这一切都是一种巨大的能量。如何把正面的能量吸纳进来，如何把负面的能量排斥在外，实在是我们每天都要时时警醒的。如果能善于挖掘日常生活中的能量，随时注入于身体，将是一件多么伟大的事情呀！别人的目光可以给予我们力量，别人的步伐可以给予我们力量，路边的一块石头也同样可以给予我们力量……关键是我们要善于发掘蕴含在自然界中的这种无形能量，用心灵去吸纳它，用意念去感受它。

■ 求医录 ■

思贤问:

看到巫师唐望系列的一本书里讲,印第安巫师用另一种观察世界的方法所看到的人像一个个白色的蛋,由亮亮的纤维包裹缠绕起来。这个说法颇似所谓的气场概念。而印度文化里提到的七脉轮说,认为道行高深的人可以看到人的气场是由从基地轮到顶轮的7个顺时针旋转、颜色各不相同的轮盘组成的(我的表述可能不是很精准,不过大概就是这样)。那么中国文化里对气场是怎么描述的呢?先生认为各个种族的"智者"为什么"看见"的是不同形状的气场呢?

中里巴人答:

古就有医道同源、医巫同源之说。依个人资质的差异和人生价值取向的不同而各行其道。《论语·述而》记"子不语怪力乱神",孔圣人已到了穷通天理的境界,对于鬼神之事早已了然于胸,但仍不讨论以揭示其玄秘,只是为了不扰乱常人之心智。所以平常心是道便、是方便法门,而形而上之学便由形而上之人去感悟好了,究其奥理于世人无益,徒增迷惑罢了。况于此种玄学我一向敬而远之,因个人智力不及,不敢涉足。

第六章

∽ 思考疾病 ∽

　　我给人看病时很少用药，因为身体里什么药都有，而且是最方便、最快捷、毫无副作用的良药——那就是人体的经络和穴位。有些朋友可能觉得我对经络穴位的作用有些夸大其辞。其实，从经络穴位的实际功效来看，我对它们的夸赞似乎还过于吝啬。

1. 为什么现代人得的病五花八门

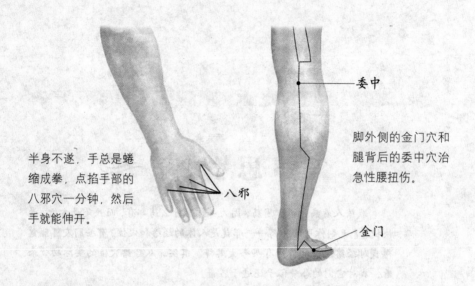

半身不遂，手总是蜷缩成拳，点掐手部的八邪穴一分钟，然后手就能伸开。

委中

八邪

脚外侧的金门穴和腿背后的委中穴治急性腰扭伤。

金门

> 得病的人心里总是着急，便乱服虎狼之药，却不能把病邪赶走，反而损伤了脏腑机能，耗费了大量气血。使原本简单的病症，最终变成了疑难杂症。

　　我的博客开了到现在，很感谢来自全国各地及海外朋友们的大力支持，也非常感谢吴清忠先生的举荐。我办博客原是出于好奇，有点赶时髦的意思，想把自己这些年感悟的一些医学养生理念与大家分享，希望能同气相求，广结善缘。

　　隔行如隔山，相信大家都会对自己所陌生的事物既好奇又恐惧。因为对某些事物的无知，心理害怕、抵触甚至逃避也是人之常情。更何况是对人体医学这些完全陌生却关乎生死的领域，普通人因知识范围所限，愈加感觉不知所措；一旦身体患了疾病，自己对此毫不了解，没有对策，就更恐慌了。有疾在身，外行人的种种行为都是可以理解的，那种恐慌与无助，无论中医、西医，只要可以带来一线康复的希望都要去尝试，此时最重要的就是需有一个正确的导引与帮助。患者对医学知之甚少，在疾病面前他们是非常无辜与无助的，身为医者应该很清楚自己的位置和对患者的影响。

我周围的朋友、邻居、亲戚们都很推崇我的医术，觉得只要我能出手，似乎就没有治不了的病。而在我看来，其实他们根本就没有什么大病，基本上是依靠自己痊愈的，我只是稍微指点了他们一下。这就像是对电脑，我也是菜鸟，我总是把那些来帮我修电脑的朋友奉若神明。其实很多时候，他们只不过是把零件拆下来，擦一擦，然后再装上，就这么简单。而我就是不知道应该拆哪个。对于自身的疾病，有很多朋友也有同样的苦衷。本来得的是小病，由于不知道如何修复、如何调养，只能眼睁睁地任其蔓延开来，成了迁延不愈的顽疾。得病的人心里总是着急，便乱服虎狼之药，却不能把病邪赶走，反而损伤了脏腑机能，耗费了大量气血。使原本简单的病症，最终变成了疑难杂症。

为什么我们现代人得的病"五花八门"？

第一个原因就是乱吃药。

我们现代人服的药千门百类，而大多数药只是去症，并不治病——只关注了不适的感觉消失与否，化验值正常与否，而不去探究出现这些问题的根源。于是，止了头痛，却引发了失眠；抑制了关节痛，却加重了心脏病；扩张了心血管，却诱发了牛皮癣；去掉了疮疡，却搞坏了脾胃。按下葫芦浮起了瓢，刚弄灭了烟头那边却起了山火，病也就越来越多，越治越乱。

其实，对于疾病我们首先不要慌乱，要克服心理对未知领域的恐惧，要相信自己身体的自愈能力。古语说"有病不治可得中医"的意思就是，你得了病，即使不治，也和找个中等水平的医生来诊治是一样的效果（因为碰上高明的大夫不大容易，往往倒会撞上庸医）。

第二个原因是把自己完全交给大夫了。

是谁在治病？这一点一定要搞清楚。是你自己在治病，并不是大夫。很多人都参加过拔河比赛，大夫就是那个喊号子给你加油的人。他的号子喊得和你用力的节奏一样，你就很容易获胜；要是他乱喊一气，或者是你根本不用力，完全靠着他声嘶力竭的呐喊，都将是一败涂地。

我给人看病时很少用药，因为身体里什么药都有，而且是最方便、最快捷、毫无副作用的良药——那就是人体的经络和穴位。

有些朋友可能觉得我对经络穴位的作用有些夸大其辞。其实，从经络穴位的实际功效来看，我对它们的夸赞似乎还过于吝啬。

举个简单的例子：一个半身不遂的人，他的手总是蜷缩成拳。通常我们在做康复训练时会帮患者把手拉直，但患者的手马上就会蜷缩回去。这时，只要点掐手部的八邪穴一分钟，患者的手就会自行伸开，而且会保持很长时间。还有急性腰扭伤的患者，只要在脚外侧的金门穴和患侧的委中穴痛点处点按两分钟，腰痛可即时缓解。还有上楼就喘的老年朋友，通常是心脏的功能较弱，只要停下来按摩手掌心的劳宫穴一分钟，马上就会觉得呼吸顺畅。这只是零散的一些穴位的常用功能，很多穴位还有祛除顽疾的妙用。

不要轻看这小小的穴位，它可是治病和养生的无上至宝。这就好比是一支苍蝇拍，只卖5毛钱，但对于打苍蝇来说它比身价千万美元的爱国者导弹都强大有力。人体的病症有时就是那几只苍蝇，一支苍蝇拍也就够了，何必动用机枪、大炮来狂轰滥炸呢？治疗疾病其实并不困难，尤其是在其萌芽状态，我们及时消除它就更为容易，只要大家掌握了一些基本的方法和正确的理念。切忌有病乱投医，要保持自己的头脑清醒与冷静，因为乱投医的结果很可能扰乱了身体康复的自我修复程序，直至毁坏修复的能力，使得小病变大，直至失去痊愈的机会。我们把握了自己的健康，同时也把握了自己的命运。

■ 读者文摘

我是由于对芳香疗法有兴趣才接触中医的，不想却走进了一座宝山。先生的博客可是我现在每天必来的地方，因话题严肃、内容高深，故不敢随便插嘴，"不敢高声语，恐惊天上人"。心里却是极其仰慕的，有机会试试您教的妙方，也有惊喜的效果，真是非常感谢。

我们所处的这个时代，在医疗行业向市场经济转变之后，医药费已经成为极大的开支，相应的医疗保险制度还未健全，所以平民饱受医疗消费的压力，而医院缺乏监督。与此同时，社会的进步使人们的生活节奏也跟着加快，竞争的结果就是人们每天都生活在压力与恐惧之中。而这种压力又非人类进化前期"战"或"逃"(fight or flight)那种可以经由行动疏散而又为人的身体所熟悉的压力。这种压力和超负荷运转成了影响人们健康的最强的杀手之一。另外一个很强的杀手就是日益恶化的环境和品质不佳的食物。在这种情况下，自然疗法是该大显身手了。

先生所做的事情真的很有意义，把深奥的中医知识用浅显的方式传播给大众，让大家了解自己的身体，提升自己的健康品质。用网友古昀的话讲就是"善莫大焉"！

（蒋）

2. 很多人都是关注疾病，不关注健康

> 我们虽天各一方，却能感觉到彼此的气息。没有一种土壤便没有一种生存，没有一种氛围便没有一种力量。其实，我们真正要找的不正是这片天空吗？

前两天博客上的一则留言引起了我的兴趣：

> 受郑老师影响，最近也开始注意琢磨一点保健方面的东西了。因眼睛近视，最近一直在寻找方法（郑老师介绍的方法一直也在用）。昨天在看放风筝的时候忽然想到，其实每个人的眼中在需要的时候都可以出现一只风筝，所以就想了一个"有鸢在心"的法子，呵呵！我的想法就是眼睛近视的朋友每天不妨拿出一点时间，向天空极目远眺；因参照物不是很好找，所以在极目处可以想像一只风筝在飞，对眼睛放松还是有一定帮助的。纯属个人一点体会，希望会对和我一样近视的朋友有所帮助。郑老师如果有时间，还望指点与完善一下。

这位朋友没留下网名，不然我真想马上加他为好友，请教一二呢。"看放风筝的时候忽然想到……"是啊，很多时候"无意之中是真意"的东西正是无价的至宝。你的心灵已经给了你完美的答复，何需再向别人请教呢？

还有一个好东西，是网友xxsh送来的，我还没来得及感谢呢。是关于我在"玫瑰的激情"中补肾功法的回贴：

> 我觉得老师这个功法的重点是在锻炼腰椎部位上，我自己的理解就是：站起伸个懒腰，蹲下再站起伸个懒腰，再配合一点呼吸和两手交叉就是了。我起名曰"伸懒腰功法"。

真是精妙绝伦！我在回复中反复说明都没讲清楚的功法，让xxsh一语道破，令我感佩之至。于是按照他说的方法一试，感觉比原先的练法更有情趣。

还有"翻书等缘"所发的感慨："我们要的是健康，而不是疾病！但是好多人都是关注疾病，而不关注健康。"

说得真好呀！

我们虽天各一方，却能感觉到彼此的气息。没有一种土壤便没有一种生存，没有一种氛围便没有一种力量。其实，我们真正要找的不正是这片天空吗？

有人问，我们将去向哪里？

我们不是急功近利的淘金寻宝者，我们不是超越极限的登山探险者，我们更不是自我磨砺风餐饮露的苦行僧，我们是穿着五颜六色衣服、眼中闪着灵光、大声嘻闹玩耍的孩子。如果没有一颗童真的心，那么这趟旅行你将一无所见，徒增烦恼并心生怨恨。

这是幼稚园孩子们的专车，没有老人家的座位。如果有人说，别再耽搁了，快开车赶路吧。那你又想去哪里呢？其实目的地既在天边也在咫尺间，你又何必舍近求远呢？

还有人说，先给我个果子吃吧，也不枉我来这一趟。我说，那你还是先回去，我这里的果子还没长熟，你吃在嘴里也是酸的。

3. 疾病不是我们的敌人

> 为什么我们对那么多的疾病束手无策？那是因为我们不能辨别谁是罪魁祸首，而只是挥舞着大刀在滥杀无辜。

人们都怕得病，其实疾病正是你成熟的契机，那是你内心与你的对话，如果你仔细倾听，然后加以修正，人生就会因此而有所感悟。但是，通常人们都会加以抵触、敌对、掩盖、压制，使疾病变得不再是它的本来面目，说的不是它本来想要对你说的话，最后变成一派胡言，而你的生命也因此将变得一塌糊涂。头痛有头痛的深意，溃疡有溃疡的警示，这些症状对生命来说并无敌意，它只是在告诫。但人们听不得这逆耳的忠言，偏要与疾病作斗争，就像是一位昏君杀死了仗义直言的忠臣一样。

为什么我们对那么多的疾病束手无策？那是因为我们不能辨别谁是罪魁祸首，而只是挥舞着大刀在滥杀无辜。所以从现在起，请大家小心地对待自己的疾病，用一种宽容平和的心来倾听它。它既是问题，又是答案的指针，我们可以按照心灵的指引去走一条本能的自愈之路。

■ **求医录**

紫花首蓿问：

"这些症状对生命来说并无敌意"，这句话说得太好了！是啊，这些症状其实是我们的生命对自己的提示，以往不懂，欲乱棍打死之，让它永远消失不见，以为这就是健康。看了郑老师的书后，越来越觉得我们的生命是神奇的，我们应善加利用，应真诚与自

己的身体展开交流与协调，而不是抗争与对立，这样真正的健康
才会莅临我们的身体呀！我好笨，先生的意思是不是说身体或者
精神的变化通过疾病来表达而不论这种变化是好的还是坏的？

中里巴人答：

很高兴您能看我这篇文章并有所思考。其实您已经说出了问
题的答案。先不管答案是否正确，因为我写此文的初衷也就是让
大家对疾病有所思考，对心灵多些关注。每个人的阅历不同、体
质不同、精神不同，对疾病自然有各自不同的理解。没有对错的
标准，只有程度的区分。只要大家能够多些耐心去倾听一下身体
所发出的声音，我想，对于疾病，我们将会有全新的感悟。

紫花苜蓿：

是呀！各种"疾病"其实都是在对大脑诉说或报告身体的情
况，可惜的是多数时候大脑听不懂身体的告白，以为身体有恶意，
把原本简单的问题复杂化了。

4. 治病不可强扭

治病要顺其性而为，舒其所欲发，则内外合力，不治而治。不可恃药力之毒，逆势强压，如石头压草，费力而无功。

几个月前曾治疗过一个病人，17岁，女，因每日下午至晚上的无名低烧（37.8度）造成的头痛头晕而辍学在家，四处检查却不知烧起何因，遍吃各种退烧的中西药皆疗效不显。

初见时患者面色萎黄，情绪极为低落。给我看了一老中医开的汤方，皆是苦寒去火之药，说已吃3个月，见着就想吐，没什么疗效，但又不敢不吃，怕病情加重。我问患者喜欢吃什么，她说喜欢吃肉，但已3个月不敢吃了，老中医不让吃，说肉生痰火，只可吃蔬菜水果。我问她有什么爱好，她说最爱唱歌，但因发烧时嗓子会疼痛发炎，也一直不敢唱。我对她说："从现在起，你想吃肉就吃肉，想唱歌就唱歌，百无禁忌，随心所欲。"小女孩一听，眼中立刻放出神采，而她妈妈却慌了，连忙说："老大夫一再叮嘱，不能吃肉，而且她现在还两天一次大便，经常便秘，再吃肉，恐怕……"我说："她本无大病，因经期时生了闷气，造成气血瘀滞，肝胆之气郁结；本应抒发情志，调畅气机，却天天以苦寒之药降火，使郁结无舒展之日，咽痛、头痛、痛经都是压抑造成的结果。而苦寒之药最伤脾胃，气血不足，大便必然无力而下。"

我给她开的药方是：大山楂丸，吃肉后服两丸。补中益气丸，每日3次，不定服（因此药中有人参，并写有止泻作用，小女孩的妈妈有些困惑，问能否减量）。月经来之前服加味逍遥丸，快结束时吃六味地黄丸。另每日再喝生姜白萝卜汤一碗。

老中医的药是不可再吃了。我告诉她治痛经的几个穴位，每天点按5分钟即可。3天后她来电话说，头痛头晕症状已无，大便每日非常顺畅，精神状态很好，每日吃肉唱歌很高兴。只是发烧未退，前一天还增高到38度以上，她妈妈有些担心。我说没关系，你现在不用考虑发烧的事，这是身体的自我调节，过一段时间自然就好。一个月不到，小女孩已经痊愈，痛经症状也从此消失。

这个病例说明：治病要顺其性而为，舒其所欲发，则内外合力，不治而治。不可恃药力之毒，逆势强压，如石头压草，费力而无功。

■ 求医录

Aileen 问：

生姜白萝卜汤有何功效？去寒？散肝郁之气？

中里巴人答：

生姜白萝卜汤去风寒，化湿痰，养受寒之脾胃，但肝旺脾虚之人并不适宜久服，有虚虚实实之嫌。

5. 养生胜于治病

《黄帝内经》上说:"上工治未病,不治已病。"这是说高明的医生注重的是疾病的预防,治疗是次要的,而预防的方法就是养生! 中国人自古便崇尚"学会养生,百病不扰"的说法。

如今,饮食不节、起居无度等不良的生活习惯不断助长着疾病的发生与泛滥。而人们对于健康的理解,却仅仅限于在体检时那些仪器查不查得出问题,或化验值的正常与否。孰不知由于常年不懂养生,放任自己的欲望,身体的生存环境已经渐渐变糟——整日忙于应付各种不利的内部生存条件,以尽量维持身体的正常运转。这个时期为疾病的潜伏期,虽然身体状况日趋恶化,在潜伏期内所有的体检数值却可以保持"正常",让人觉得自己很健康,而对疾病毫无防备。潜伏期可以持续数月到数十年不等,一旦身体无法应对那些恶劣的因素,防线崩溃,所谓的疾病就发生了。

"上工"往往会在疾病的潜伏期就及时发现不对头,并扼杀它的滋长,以恢复真正的健康。而如今的医疗现状,无论财力物力都仅仅只够应付"已病"的人群,对疾病的治疗就像等洪水泛滥的时候再去堵窟窿一样,按下葫芦浮起了瓢,根本没有更多精力谈到预防! 很多人因此疾病缠身、疲于奔命,这样的人生还有何乐趣可言呢? 因此,只有我们自己提早做功课才可得遇"上工"的指引,防微杜渐,把健康掌握在自己手中,这样我们的人生才会充满自信与快乐。

也许你会说,找"上工"谈何容易啊! 名医天底下就那些个,挂个号都难呢! 其实,医生并不是"上工",真正的"上工"是你自己! 你大可不必叹服于"言之必中"的医生的神奇医术,他们只是推测而已，而你才是身体最直接的使用者，哪里虚弱，哪里强壮，关于它的状况你比医生更心知肚明！

可是往往在很多时候，我们并不知道如何做个合格的"上工"，不是疏忽了身体的诉说，就是根本不懂它的语言，就更别提如何应对了。面对纷繁的各种健康资讯，我们更无所是从，不知道哪些适合自己；于是保健品买了不少，按摩、刮痧、针灸学了不少，可它们似乎对自己的健康总是力小声微。于是发现症状似乎是无穷无尽的，并以各种面目出现。出现这一困窘局面皆因你没抓住做个合格"上工"的养生重点——知己，即了解自己的先天的体质，是寒是热、是实是虚、是阴是阳。只有了解自己身体中的这些天然禀赋，你才能知道如何去维护它。

知道自身的天然禀赋后接着又该如何做呢？每种体质皆有自己的优劣强弱，你只需记住"扬长避短，引强济弱"这八字真言就可以了。平日因势利导，借助的是自然的风向起飞，这样来治疗疾病，纵是千江有水千江月，你也依旧万里无云万里天了。"治病但治其本"，"本"其实就是体质，知道了在哪里用力，从此你就成为了自己的"上工"而无需再求他人。

这是一本给我们生活带来福气的书

这是一本能够真正化解我们身心之病的书，因此说这本书是我们的福星毫不为过。掩卷之余，我们身体里马上充满了温馨和力量。在这个崇尚物质的时代，还有多少东西能够让我们的身心同时收获感悟呢？

作者中里巴人，真名郑幅中，家学渊源甚深，其父是八卦掌第四代传人。中里先生自幼即承袭父亲道家导引养生之功，更从祖父亲书秘笈中汲取中医之精髓，尽得医道同源之意趣。8年前，中里先生蒙87岁的太极名家李宝良先生厚爱，收为关门弟子，老师将其终身所悟大法倾囊相授。

在长期的中医研究中，对传统疗法，中里先生都大胆以身尝试，务求实效。医武双修的他更利用自己的太极内力，单用指针来祛病、健身，得心应手并疗效显著。中里先生常潇洒言道："只要掌握了经络的要旨，针灸不过舟楫，无它亦可行船；中药好比调羹，有它只是方便。"

通过对中医的长期悟化，中里先生发现人体具有很强的自治自愈能力。针对现代大多数人于如何利用经络激发"人体内药"并不熟知，中里先生特在网络上开设了"中里巴人"的门户博客，为世人说医解道，引导人们成为自身的良医！

中里先生是《人体使用手册》作者吴清忠先生的中医启蒙老师，两人相聚之时常常共诵心经、品茗论赋，其超然物外之闲逸，堪效古人。

和读者一起谢谢中里先生，虽说世间大恩不言谢。

刘观涛

2007年1月20日于适心斋

《求医不如求己》常用穴位使用方法

怎样找穴位：

穴位跟身体其他地方不一样，当身体生病时，穴位会有反应：用手压，比其他地方疼；或者感觉发凉，或者发烫；手指按下去，来回摸摸，里面好像有沙粒或者硬条一样的东西。有时候，穴位上会起红点、小豆豆。这些反应能帮你找到穴位，还能让你发现身体哪儿出了问题。

使用穴位的手法：

（1）点按：找到穴位后，用手指肚儿使劲儿往下按压。如果嫌用手指太累了，用圆珠笔头、钢笔帽代替也可以。不仅能保健，关键时候还能救命，比如人昏倒时"掐"人中，其实就是点按。

（2）揉法：手指按住穴位做回旋转动，就是原地转圈。要注意的是，一直要有向下压的力，让力量透下去。除了手指，还可用手掌、掌根，可以根据身体的不同部位选择。腰背等肉厚、面积大的地方可以用手掌，手上、脚上或者骨头缝的穴位只用手指。

（3）敲打：累的时候想让身体舒服，就要先让经络舒服。攥起拳头，轻重随意，沿着经络走行的线来回敲打。经络通了，疾病也就离你远了。

（4）推法：稍使劲，用手掌或者手指沿着经络移动，腿上的经要由上向下推，胳膊上的经要由下向上推。推法可以推动气血，让全身各个部位都能受益。

（5）灸法：灸法要借用一种中药——艾草，药店里有卖成品的艾条或者艾绒。把艾条点燃悬放在穴位上，或者沿着经络来回移动，艾条与皮肤的距离因人而异，以皮肤有温热的感觉为好。还可以在穴位上放一块硬币大小的生姜片，放一撮艾绒在上面点燃，这又叫"隔姜灸"。

《求医不如求己》常用穴位指南

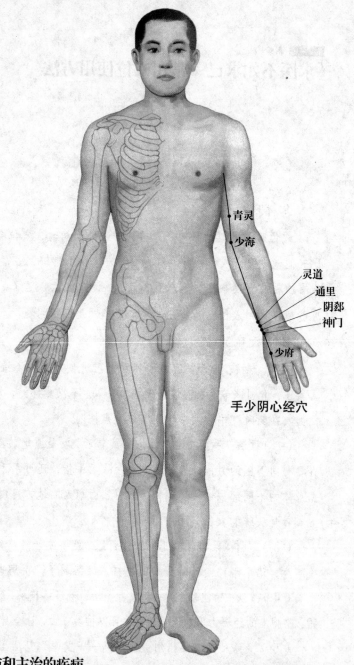

青灵
少海
灵道
通里
阴郄
神门
少府

手少阴心经穴

手少阴心经预防和主治的疾病

心血管病：冠心病、心绞痛、心动过缓、心动过速、心肌缺血、心慌。
神经及精神疾病：失眠健忘、神经衰弱、精神分裂、癫痫、神经官能症。
其他：经脉所过的肌肉痛、肋间神经痛。

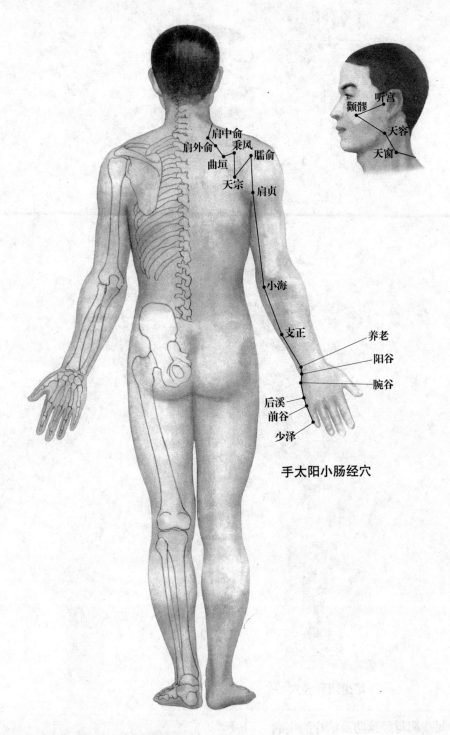

听宫
颧髎
天容
天窗

肩中俞
肩外俞　秉风
曲垣　　　臑俞
天宗　肩贞

小海

支正
养老
阳谷
腕谷
后溪
前谷
少泽

手太阳小肠经穴

手太阳小肠经预防和主治的疾病

五官病：咽痛、眼痛、耳鸣耳聋、中耳炎、腮腺炎、扁桃体炎、角膜炎、头痛。
其他：腰扭伤、肩痛、落枕、失眠、癫痫、经脉所过关节肌肉痛。

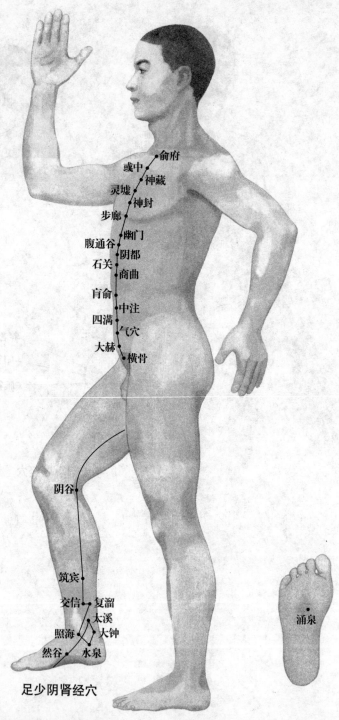

俞府
彧中　神藏
灵墟　神封
步廊
幽门
腹通谷　阴都
石关　商曲
肓俞
四满　中注
大赫　气穴
横骨

阴谷

筑宾
交信　复溜
太溪
照海　大钟
然谷　水泉

涌泉

足少阴肾经穴

足少阴肾经预防及治疗的疾病

泌尿生殖系统：急慢性前列腺炎、阳痿、早泄、遗精、术后尿潴留、睾丸炎、痛经、月经不调、盆腔炎、附件炎、胎位不正、各种肾炎、水肿。

头面疾病：头痛、牙痛。

其他：消化不良、泄泻、耳鸣耳聋、腰痛、中风、休克、经脉所过的各种关节肌肉软组织病。

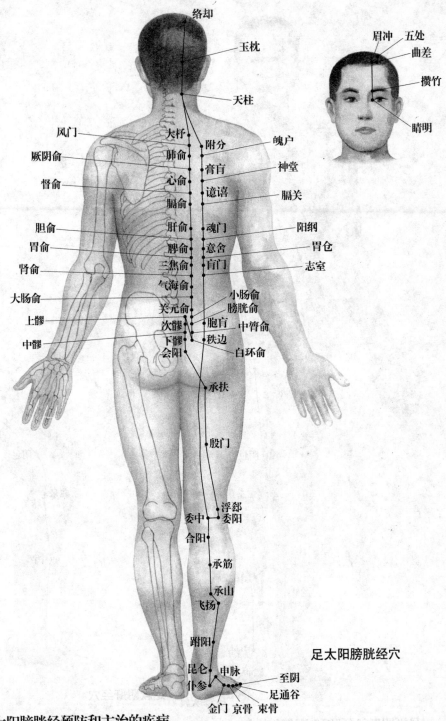

足太阳膀胱经穴

足太阳膀胱经预防和主治的疾病

呼吸系统：感冒、发烧、各种急慢性支气管炎、哮喘、肺炎。
消化系统：消化不良、腹痛、痢疾、胃及十二指肠溃疡、胃下垂、急慢性胃肠炎、肝炎、胆囊炎。
泌尿生殖系统：肾炎、阳痿、睾丸炎、闭经、月经不调、痛经、盆腔炎、附件炎、宫颈糜烂。
其他疾病：失眠、腰背痛、坐骨神经痛、中风后遗症、关节炎、经脉所过的肌肉痛。

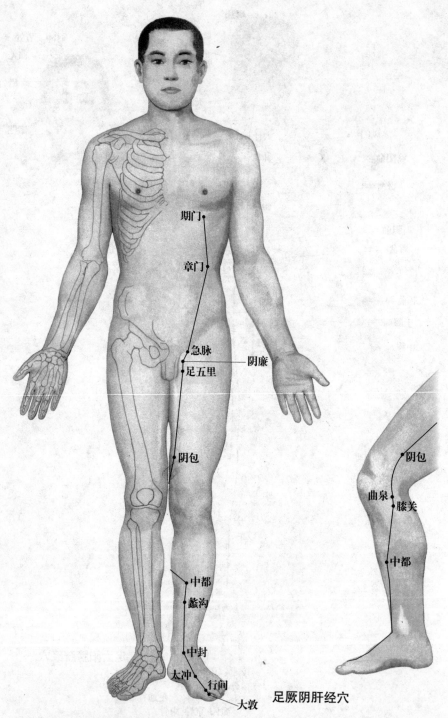

期门

章门

急脉

阴廉

足五里

阴包

阴包

曲泉

膝关

中都

中都

蠡沟

中封

太冲

行间

大敦

足厥阴肝经穴

足厥阴肝经预防和主治的疾病

生殖系统疾病：痛经、闭经、月经不调、盆腔炎、前列腺炎、疝气。

肝胆病：各种急慢性肝炎、急慢性胆囊炎、肝脾肿大、抑郁症。

其他：头顶痛、头晕眼花、各种眩晕、癫痫、胃痛等。

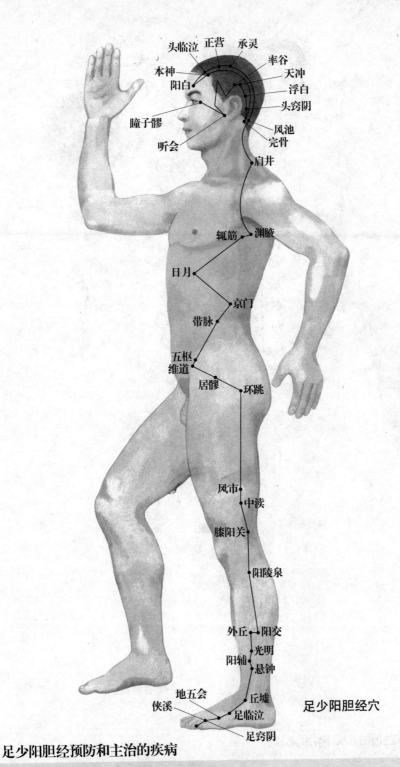

头临泣　正营　承灵
本神　　　　率谷
阳白　　　　天冲
　　　　　　浮白
瞳子髎　　　头窍阴
听会　　　　风池
　　　　　　完骨
　　　　　　肩井
辄筋　渊腋
日月
京门
带脉
五枢
维道
居髎　环跳
风市
中渎
膝阳关
阳陵泉
外丘　阳交
光明
阳辅　悬钟
地五会　丘墟
侠溪　足临泣
足窍阴

足少阳胆经穴

足少阳胆经预防和主治的疾病

肝胆病：急慢性胆囊炎、胆绞痛、各种慢性肝炎。
头面五官病：头昏、偏头痛、面神经炎、面神经麻痹、耳鸣、耳聋、近视。
其他：感冒、发热、咽喉肿痛、胁下痛、经脉所过处的肌肉痛。

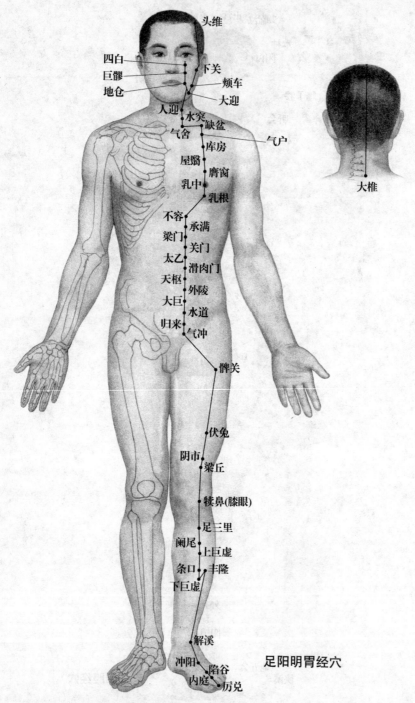

头维
四白
巨髎
地仓
人迎 水突
气舍 缺盆
下关
颊车
大迎
气户
库房
屋翳
膺窗
乳中
乳根
不容
承满
梁门
关门
太乙
滑肉门
天枢
外陵
大巨
水道
归来
气冲
髀关
伏兔
阴市
梁丘
犊鼻(膝眼)
足三里
阑尾
上巨虚
条口 丰隆
下巨虚
解溪
冲阳 陷谷
内庭 厉兑

大椎

足阳明胃经穴

足阳明胃经预防及主治的疾病

胃肠道疾病：小儿腹泻、胃胀、胃痛、胃下垂、急性胃痉挛、胃炎、胃神经官能症、胃及十二指肠溃疡、消化不良、食欲不振、便秘、泄泻、痢疾、胃肠蠕动过慢。
头面疾患：痤疮、黄褐斑、头痛、眼痛、牙痛、面神经麻痹、腮腺炎、咽炎。
其他：中风偏瘫后遗症、慢性阑尾炎、乳腺增生、白细胞减少症、经脉所过的关节肌肉病。

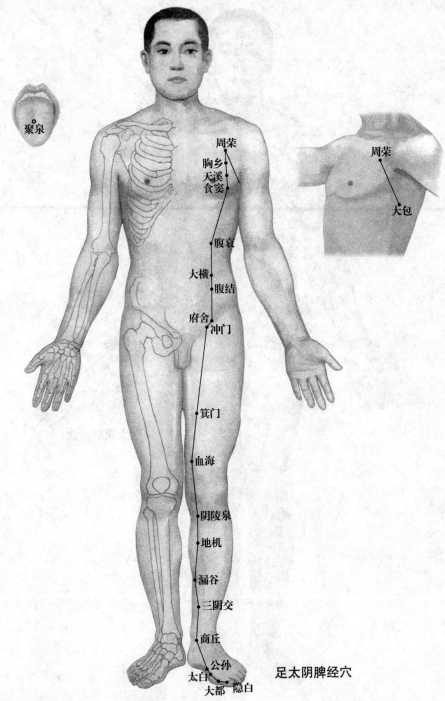

聚泉

周荣
胸乡
天溪
食窦

腹哀

大横
腹结

府舍
冲门

箕门

血海

阴陵泉

地机

漏谷

三阴交

商丘

公孙
太白
大都　隐白

周荣
天包

足太阴脾经穴

足太阴脾经预防及主治的疾病

消化系统疾病：消化不良、泄泻、痢疾、便秘。
妇科病：痛经、月经不调、闭经、月经提前或错后、盆腔炎、附件炎。
男科：急慢性前列腺炎、水肿。
其他：周身不明原因疼痛、关节炎、经脉所过的肌肉软组织疾病。

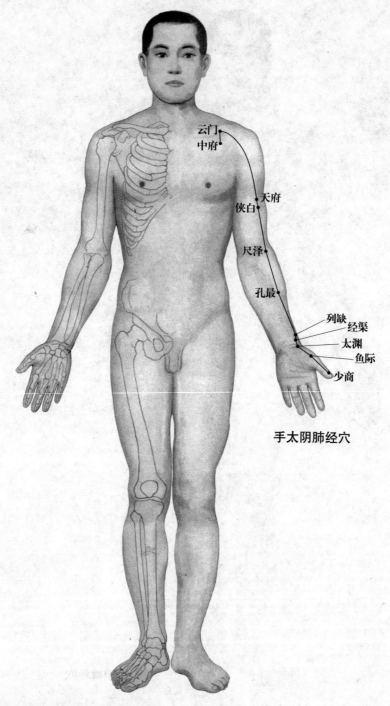

云门
中府
天府
侠白
尺泽
孔最
列缺
经渠
太渊
鱼际
少商

手太阴肺经穴

手太阴肺经预防及主治的疾病

呼吸系统疾病：各种急慢性气管炎、支气管炎、哮喘、咳嗽、咳血、胸痛。

五官病：急慢性扁桃体炎、急慢性咽炎、咽痛、鼻炎、流鼻血。

其他：经脉所过的关节屈伸障碍、肌肉疼。

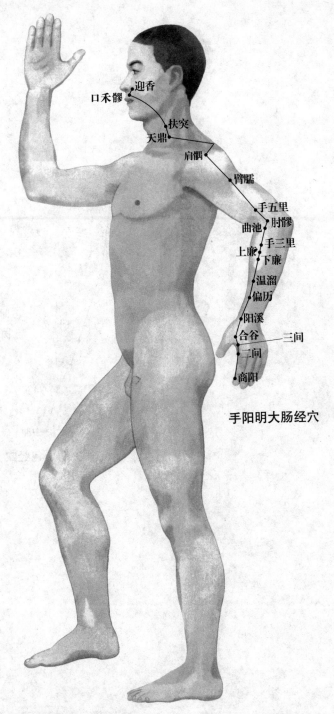

口禾髎
迎香
扶突
天鼎
肩髃
臂臑
手五里
肘髎
曲池
手三里
上廉
下廉
温溜
偏历
阳溪
合谷
三间
二间
商阳

手阳明大肠经穴

手阳明大肠经预防及主治的疾病

呼吸道疾病：感冒、支气管炎、发烧、头痛、咳嗽。
头面疾病：头痛、面神经炎、面肌痉挛、面瘫、牙痛、麦粒肿、结膜炎、角膜炎、耳鸣、耳聋、三叉神经痛、鼻炎、鼻塞。
其他：颈椎病、皮肤瘙痒、神经性皮炎、荨麻疹、经脉所过的关节活动障碍。

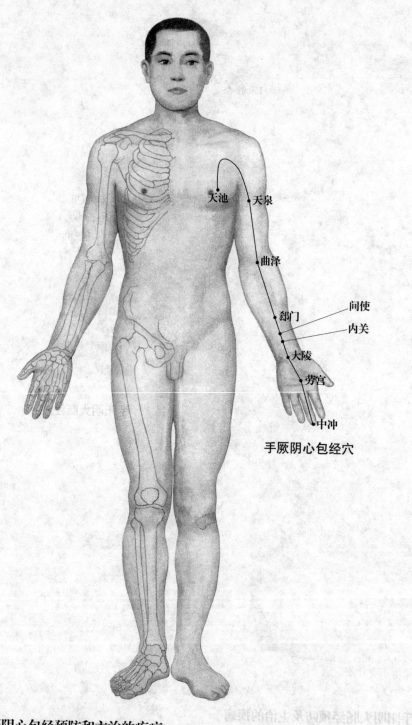

天池　天泉

曲泽

郄门　　　　　间使

内关

大陵

劳宫

中冲

手厥阴心包经穴

手厥阴心包经预防和主治的疾病

心血管系统：心慌、心动过缓、心动过速、心绞痛、心肌缺血、胸闷。

其他：恶心、呕吐、抑郁症、中暑、休克、小儿惊风、胃痛胃胀、经脉所过的关节肌肉痛。

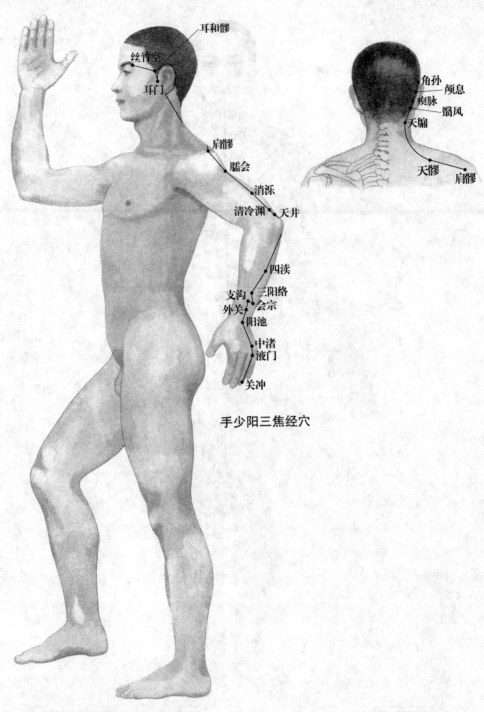

耳和髎
丝竹空
耳门
肩髎
臑会
消泺
清冷渊　天井
四渎
支沟　三阳络
外关　会宗
阳池
中渚
液门
关冲

角孙　颅息
瘈脉
翳风
天牖
天髎
肩髎

手少阳三焦经穴

手少阳三焦经预防和主治的疾病

五官病：耳鸣耳聋、腮腺炎、偏头痛、面神经炎、面肌痉挛。

其他：肋间神经痛、便秘、感冒、中风后遗症、肘关节屈伸不利、经脉所过的关节和肌肉软组织病。

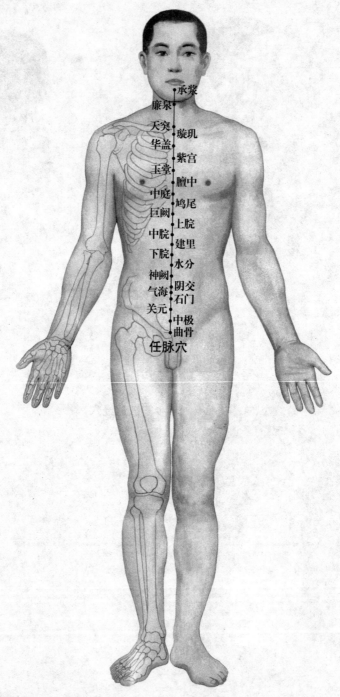

承浆
廉泉
天突　璇玑
华盖　紫宫
玉堂　膻中
中庭　鸠尾
巨阙　上脘
中脘　建里
下脘　水分
神阙　阴交
气海　石门
关元　中极
　　　曲骨

任脉穴

任脉预防和主治的疾病

泌尿生殖系统：前列腺炎、阳痿、早泄、盆腔炎、附件炎、白带病。

消化系统：胃痛、消化不良、胃溃疡。

其他：失眠、胸闷气短、腰痛。

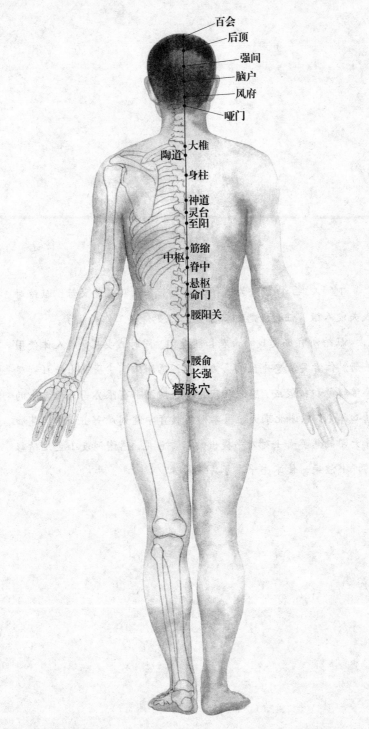

百会
后顶
强间
脑户
风府
哑门

大椎
陶道
身柱
神道
灵台
至阳
筋缩
中枢
脊中
悬枢
命门
腰阳关

腰俞
长强
督脉穴

督脉预防和主治的疾病

脊柱病：腰肌劳损、腰椎间盘突出、强直性脊柱炎、颈椎病。

其他：小儿消化不良、头痛、发烧、中风、脱肛、失眠多梦、记忆力减退、退行性关节炎、胆囊炎。

　　谨以此书献给为我操劳半生、含辛茹苦的父母，献给对我关爱入微、任劳任怨的妻子和全力支持我工作的儿子。

　　献给所有偏爱我的亲人和朋友们。同时我要感谢《人体使用手册》作者吴清忠先生的大力举荐，感谢中国中医药出版社刘观涛编辑的积极促成，感谢北京共和联动图书有限公司马松先生的精心筹划。感谢北京大学医学网络教育学院刘彦女士和美国芝加哥大学高慧英女士对本书提出的宝贵意见。感谢网友小鱼儿精彩的评书渲染，使本书平添了许多趣味。

命要活得长，全靠经络养

从黄帝开始，中国人代代相传的养生手法

人体经络的每一个穴位都是灵丹妙药，就看我们会不会用它了
命要活得长，全靠经络养
敲经络适合任何人群，能让人的平均寿命至少再延长10年
它是人类走向百岁健康的通行证

这是一本介绍通过敲打经络就能防治万病的书，为医易相通的中医高士萧言生倾心所书，里面全是从黄帝开始中国人代代相传的绝妙养生手法。

经络的神秘，随着本书一页页翻开的沙沙之声浮现在我们眼前，原来，经络是上天赐予我们人体的大药，它们"决定我们的生死，处理我们的百病"，原来，人的所有病都是"经络病"，而通过疏通经络就能使病消失无踪。经络不仅能治疗已发生的疾病，更重要的是能消灭人体里尚未成形、正在迅猛向前发展的病，它们还能赶在当今所有现代医学仪器前向我们预报疾病的征兆。

经络养生治病，实为当代医学的返璞归真。

本书就是这样一本教你如何正确使用人体经络的福音书，它要为您送上：

一、58种常见病和不明慢性病的经络穴位自疗方法；

二、一分不花、一学就会、一用就灵、一生受益的14条经络养生方法；

三、最有效的3种小儿健康推拿指南；

四、使用人体经络的8种最简单技巧。

把健康亲手送给孩子是父母的最大福气

增强中国孩子体质和智力的最佳方法

父母是孩子最好的医生，是保佑孩子从小就远离疾病的最大因果

当孩子有小病的时候，父母的推拿可以代替吃药

给孩子按摩经络越早，对他的成长就越有利

　　这是中医高士萧言生继《人体经络使用手册》后为中国的父母和他们的孩子写下的又一部健康宝典。

　　他说："在你拿起孩子的小手轻轻推拿的刹那，孩子亮晶晶的黑眸也在回应着你那温暖的爱。这是菩萨和世上任何一位良医都无法做到的。从宝宝生下来那天起，请你轻轻地从5根小手指开始抚摸他，每天坚持几分钟，你的孩子就不会得同龄孩子的常见病。发育迟缓、肥胖、性早熟、弱视、遗尿、习惯性感冒、肺炎等好多让父母心急如焚的疾病都可以用经络治好。"

　　他语重心长地告诉我们：孩子一旦有个头疼脑热，父母们就恨不得替他生病，心疼万分却又手足无措，往往赶在第一时间把孩子送进医院任由医生处置。如果中国的家庭都能早明白儿童经络的伟大奇妙之处，这些让父母揪肠挂肚的事情又怎会发生呢？

　　如果天下的父母们明白都懂得萧言生老师的良苦用心，那么，请接受他为你奉献的如下"宝贝"：一、小儿身上的27个关键穴位，这是保证孩子健康平安的枢纽；二、8套儿童经络保健方案，让你在家中就可轻松为孩子防病；三、45种儿童常见疾病的经络推拿治疗手法，无任何副作用，最科学，最人道。

从黄帝开始，中国人百试百灵的养生手法

疾病有来路，一定有归途

特效穴位使用手册

萧言生 著

估价：29.00 元

我们人体的每一个穴位都相当于一味中药

它们的任何一种神效，都是我们祖先用身体试验过的

这个世界上没有什么治不好的病，只要你学会使用经络并悟出穴位的深意

你就拥有金刚不坏之体，终生尽享健康的法喜

··

这是继《人体经络使用手册》、《儿童经络使用手册》后，名医萧言生为众生奉上的第三部健康绝学之书，精选了人体14条正经和奇经八脉上的58个特效穴位，专门解决潜藏在人们身体里的众多疑难杂症。书中介绍了：

一、5种绿色护生方案，精采15个保元真穴，带你春保肝，夏养心，秋护肺，冬补肾，平安迈过四季每一天；

二、逐步根除身体上各种不适症状和常见病的15种五脏宁穴位平衡法，让你五脏和谐，人体常青；

三、27种女福大穴，悉心呵护女性最担心的乳腺系统和生殖系统，让她们的身体年年春暖花开；

四、12种穴位易容法，由内滋外，让不同年龄段的女性都能容颜明净天然；

五、17种救生穴位法，将许多难以根治的各类疑难杂症一一予以化解；

六、最易于父母掌握、放心使用的5种儿童穴位疗法，可让孩子远离疾病。

有了这本书，我们每个人都能为自己的身体开方，自由地在人体这块天然大药库里采撷、炮制灵丹妙药，这实在是人生病痛的另一种解决之道。

··

国医健康绝学系列

为自己健康开光，让生命万寿无疆
从根子上祛除中国人身体内的疑难杂症

不生病的智慧

马悦凌 著

估价：29.00元

为什么我们花费了昂贵的钱，最后病还是断不了根

说到底，我们真正想要的是不生病的智慧和技巧

改变生病前的生活方式，你就可以永不生病或者带病长寿

· ·

这是一本被无数患者誉为"健康教母"的民间奇医马悦凌为天下老百姓写的健康养生书。里面凝聚了作者十几年独创的各种不生病的方法和治疗众多疑难杂病的奇效良方，不管是老人、孩子、妇女、男人都能用上，特别适合一家老小。

书里告诉我们：

一、健康从补血开始，补血从食疗和刺激经络开始；

二、分清食物的温热寒凉平是补血的关键；

三、9种可以自己制作的补血佳品、3种择食法、4条经络疗法，能很快让你根治自己和亲人迁延不愈的心病和身病，让你一家老小平平安安；

四、摸第二指骨，看舌苔和手相，这是最简单、最快捷、最可靠的自我诊断法。

把书中讲到的每一种方法坚持下去，天天健康就是一件轻而易举的事。

· ·

国医健康绝学系列

菩萨合掌求菩萨，求医不如求自己
奠定中国人健康基石的最终方案

求医不如求己
II

中里巴人 著
估价：29.00元

一旦你听懂身体发出的声音，那么你将是解救自己的观音
最简单的动作会治人体最严重的疾病，人们常把最简单的事情复杂化了
人最大的病是对疾病的恐惧，而消除恐惧的惟一办法就是自疗

　　自"中国第一医家"中里巴人推出中医健康养生秘籍《求医不如求己》后，在广大老百姓中引起了强烈共鸣，大家口口相传，为在有生之年能替自己和亲人们找到如此伟大、简单、奇效的养生治病观念和方法欣喜不已。

　　应读者的迫切要求，针对当前看病难、看不起病、看不好病的社会问题，中里巴人又及时为大家奉上了《求医不如求己 II》，在本书中，他根据人体五脏六腑和经络、天地的神秘因缘，从长命百岁的角度，结合《黄帝内经》之养生精髓以及个人的高超医术，总结出了一套适合不同体质、不同年龄人的"一招致胜"特效保健大法，让人人都会使用，并在使用中逐步根除各种疾病，消弭对年老和死亡的恐惧，尽享"求医不如求己"的幸福和巨大乐趣。

　　这是又一本给我们身体和心灵带来洪福的书，翻开本书任何一页，你即可收获意想不到的福报。